Kakao Talk

아침편지

BOOKK

Kakao Talk

아침편지

발 행 | 2024년 2월 15일
저 자 | 우재 윤필수
겉표지 | 윤정별
펴낸이 | 한건희
펴낸곳 | 주식회사 부크크
출판사 등록 | 2014.7.15.(제2014-16호)
주 소 | 서울특별시 금천구 가산디지털1로 119SK 트윈타워 A동 305호
전 화 | 1670-8316
이메일 | info@bookk.co.kr

ISBN | 979-11-410-7043-4

www.bookk.co.kr

징검다리를 건너보세요

윤필수선생님을 만난 것은 2010년이었습니다. 같은 학교에서 근무를 해도 교과목도 다르고, 지도하는 학년도 다르고, 근무하는 자리도 달라서 서로 만날 수 있는 기회는 많지 않았습니다. 서로 데면데면 인사하고 지내는 사이였지요.

그러던 중 2011년 학교 축제에 4분의 남자 선생님들이 춤으로 무대를 꾸미면서 몇 주 동안 계속 만나게 되었습니다. 점심시간에 잠깐 잠깐 만나서 안무를 익히고 맞춰가면서도 주도적인 역할을 맞아 주셨던 선생님이셨습니다. 그렇게 안 되는 몸짓을 따라하고 격려하며 동작만 겨우 익혀서 축제를 열광의 도가니로 만들었던 추억들이 떠오릅니다. 당시에 유행했던 KBS2 드라마 성균관 스캔들의 화보를 패러디하여 오픈 영상을 무대에 띄우고 짧지만 정신없이 춤을 추었던 것 같습니다.

시간이 흘러 윤필수 선생님께서 퇴임을 하시고, 몇 년 동안은 서로 연락이 되지 않았습니다. 그러다 다시 만나게 된 것은 카카오톡으로 우연히 연락이 되었고, 윤필수 선생님께서 단체 톡을 만들어 성균관 스캔들의 사진을 공유하며 추억 속으로 소환하였습니다. 그 뒤로 만나서 함께 식사도 하고 대소사도 챙기면서 만남을 이어가고 있습니다. 코로나19로 직접적인 만남의 시간들이 줄기는 했으나 매일 날이 밝으면 카카오톡으로 아침인사를 나누는 것이 일상이 되었습니다.

저는 선생님께 특별한 사연을 적어 보낼 때도 있으나, 평소 읽다가 마음에 드는 시를 보내거나 응원하는 문구에 가슴을 울리는 글을 공유하기도 하였습니다. 그럴 때마다 격려하는 글을 보내주시기도 하시고, 또 다른 다양한 모임의 모습을 사진을 첨부하여 공유해 주시기도 하십니다. 전시회, 박물관, 명소 소개와 산행했던 이야기, 탁구 동아리 모임 이야기, 지인들의 이야기 등을 공유할 때마다 참 부지런한 분이시구나. 참으로 시간을 알차게 사용하고 계시는구나 감탄사가 절로 나오게 됩니다.

책이 나오기도 전에 추천사를 써 달라는 부탁을 받고, 앞뒤 가리지도 않고 알겠다고 답을 했습니다. 무슨 생각이었을까요? 그냥 선생님의 매력에 빠져 허락을 한 것 같습니다. 그리고 무엇을 어떻게 써야 하나를 한참 고민했습니다. 개인적인 일로 바쁜 가운데도 며칠을 고민, 고민하다가 그냥 '윤필수 선생님'을 써 놓고 두서없이 추억을 더듬어 보기 시작하였습니다.

윤필수 선생님께서 벌써 여러 편의 책을 발표하셨고, 또 소소한 삶의 모습을 책으로 엮어 보고 싶다 하셨는데, 저와 관련된 내용도 있다고 하셔서 놀랐습니다. 만날 때마다 사진을 꼭 찍으셔서 추억으로만 기억될 것들을 잘 챙기시는구나 생각했는데, '1년 전 오늘 만남'이라며 보내주시는 사진을 보게 되면 저 또한 추억 속으로 여행을 떠나지 않을 수 없었습니다. 그리고 감동을 받고 시작하는 하루는 즐겁고 행복할 수밖에 없었습니다. 학생들과 힘들었던 시간들도 희석시켜 주었던 것 같습니다.

선생님을 생각하면 국립중앙박물관에서 인상 깊게 보았던 3대에 걸쳐 썼다는 일기가 생각납니다. 전 세계에 유래가 없는 것으로 3대에 걸쳐 하루도 빠짐없이 일상을 기록한 보물이라는 설명이 붙어 있었습니다. 그 기록이 당시의 사회상은 물론이고 많은 영역에서 연구 자료로 활용된다고요. 꼭 필요한 학생들과 상담을 하면서도 상담일지를 그때 그때마다 못 적는 경우도 많습니다. 차선책으로

메모 정도하지만 그도 시간이 지나면 어떤 내용으로 했었는지 자세히 알지 못하는 경우도 생긴 때를 생각해 보면 그 대단함은 감탄이나 존경이라는 말로는 표현하지 못할 대단한 것임을 깨닫습니다. 백범 선생님이 꿈꾸던 문화강국의 힘이 바로 이런 기록 문화가 큰 바탕이 되는 것이라 생각합니다.

일상생활을 책으로 준비한다는 소식을 듣고 부지런함과 무소처럼 달려가는 모습에 감동을 받습니다. 선생님께서 적어 내려가는 하루하루의 일상이 비슷한 삶을 살아가는 우리들에게는 큰 위안과 격려가 되지 않을까 생각합니다. 선생님의 소소한 일상이 여러분들에게도 스며들어 하루하루가 즐겁고 행복하셨으면 좋겠습니다. 책을 읽으며 오늘과 어제를 잇는 징검다리를 건너보세요. 건승을 기원합니다.

이권복 드림

머리말

이번에는 어떤 내용으로 글을 만들어 볼까 하며 이 생각 저 생각을 하고 있는데, 불현듯 머리를 스치는 한 생각이 떠올랐다. 아침마다 카톡으로 인사를 나누는데, 시(詩), 좋은 문구, 잠언(箴言) 등등을 보내주시는 분이 있었지!.
'아! 이것이구나!' 하는 생각이 빠르게 뇌리를 스치고 지나갔다.

그래서 이권복 선생님과 주고 받은 카톡을 쭉 훑터보니 정말 좋은 글들이 너무 많아서 나 혼자만 보지 말고 한번 그 글들을 모아 책으로 내면 다른 사람들이 이 글들을 읽어보고 생각과 감정을 공유하면 더욱더 선한 영향력이 발휘되지 않을까 하는 생각이 들었다. 그래서 이 선생님과 주고 받은 카톡 글들을 모아 책으로 만들게 되었다.

이것을 보내준 이권복 선생님은 현재 현직에 근무하고 계시는 중등 국어 선생님이시다. 조금 오래된 이야기지만 예전에 같은 학교에서 근무하며 지낼 때 초 가을쯤 여자

체육 선생님께서 가을 축제 때 선보일 교사 댄스팀을 모집하고 계시는데 나이가 50세 언저리부터 그 이상 되신 남자 교사들을 물색 중인데 딱! 나를 포함하여 4명의 남자 교사가 강제로 선정되었다. 그 이후부터 하루하루 점심시간에 조금씩, 또는 방과후에 약 1시간 정도씩 체육선생님의 가르침을 받아 약 한달 이상 연습하여 가을 축제 때 학생들에게 선을 보인 것이다. 이 학교는 여학교이기 때문에 체육 선생님께서 인원 선정 시 남자 교사들을 고른 것 같다.

아무튼 학생들에게 선보일 당시 그 환호성과 아우성 소리는 지금도 내귀에 생생히 살아있다. 아우! ~ 그 환호성! 선정 이후 교사 댄스팀 인원이 4명이었는데 한 분이 너무 열심히 해서 그런지 연습 도중에 '뚝' 소리가 나더니 다리가 이상하다고 하여 연습을 포기하고 병원에 간 것으로 안다. 그 다음날 그 선생님께서는 깁스를 하고 오셨다. 병원에서는 다리 인대가 끊어졌다 하여 깁스를 해 준 것이다. 그래서 결과적으로 3명만이 선을 보여주게 되었다. 이런 인연으로 서로를 더 잘 알게 되었다.

그 이후 시간이 지나 서로의 근무지가 달라져 소식이 뜸하다가 정년퇴직 후 내가 예전 일이 생각나서 카톡으로 연락하여, 현재까지 그 관계를 꾸준히 이어오고 있다.
아무튼 이권복 선생님과 매일 아침에 주고받는 카톡편지 중에는 정말 좋은 것들이 많아 그 글들을 모아 책을 만들게 되었다는 말을 다시 한번 강조합니다. 아울러 이권복 선생님께 추천사를 부탁드렸더니 흔쾌히 허락해 주셔서 다시 한번 감사의 말씀을 올립니다. 또한 이런 기회를 마련하게 해준, 아니 이런 인연을 가지게 해준 하늘과 우주에 감사드립니다.

아무쪼록 이권복 선생님 건강하시고 항상 행운이 함께 하기를 기원합니다. 아울러 겉표지를 멋있게 디자인해준 우리 둘째에게 열열한 환호를 보내며, 이 책을 보시는 모든 분들께 감사의 마음을 전합니다. 감사합니다.

우재 윤필수

차례

Kakao Talk

아침편지

- NamIncheon Dancing Team -

Kakao Talk

출처《https://www.bing.com/images/》

행복과 성공을 위한 나의 계획

[마음챙김 하는 생활] : 기본생활 지침 ☞ 꾸준히 노력하기

실천 요소	실천 내용
자아인식	자신과 관계를 맺고 있는 세계의 상호관계를 인식한다
동기부여	본인의 능력에 대하여 객관적으로 보는 눈을 갖는다
주의집중	산만한 요인들에 둘러 싸여있는 가운데 해당과제에 대하여 적합한 최선의 집중력을 발휘한다.

[감정을 통한 행복찾기]

<table>
<tr><th>실천 영역</th><th colspan="5">실천 행동</th><th>○,×</th></tr>
<tr><td rowspan="3">긍정적 실천하기</td><td colspan="5">행 동 양 식</td><td rowspan="3">○,×</td></tr>
<tr><td>쾌활</td><td>낙관</td><td>긍정</td><td>희망</td><td>행복</td></tr>
<tr><td></td><td></td><td></td><td></td><td></td></tr>
<tr><td rowspan="6">부정적 반추에서 벗어나기
(곱씹거나 반추하지 않기)</td><td colspan="5">다른 좋은일을 생각한다</td><td>○,×</td></tr>
<tr><td colspan="5">자신을 용서한다</td><td>○,×</td></tr>
<tr><td colspan="5">가슴아픈 사건을 놓아 버린다</td><td>○,×</td></tr>
<tr><td colspan="5">해결책을 도출한다</td><td>○,×</td></tr>
<tr><td colspan="5">문제와 관련된 대화를 한다</td><td>○,×</td></tr>
<tr><td colspan="5">재미있는 무언가를 한다</td><td>○,×</td></tr>
<tr><td>우정을 소중히 하기</td><td colspan="5">친구와 대화를 자주한다</td><td>○,×</td></tr>
<tr><td>감사에 집중하기</td><td colspan="5">사소한 일이라도 감사한다</td><td>○,×</td></tr>
<tr><td rowspan="3">용서하기</td><td colspan="5">기록하고 놓아버린다</td><td>○,×</td></tr>
<tr><td colspan="5">확인하고 공감하며 이타적으로 용서한다</td><td>○,×</td></tr>
<tr><td colspan="5">용서하기로한 결정은 꼭 지킨다</td><td>○,×</td></tr>
<tr><td rowspan="3">공감을 높여라</td><td colspan="4">행동 양식</td><td></td><td rowspan="3">○,×</td></tr>
<tr><td>사랑</td><td>수용</td><td>이해</td><td>자비</td><td></td></tr>
<tr><td></td><td></td><td></td><td></td><td></td></tr>
</table>

[행복지수를 높이기]

<table>
<tr><th>실천 요소</th><th colspan="3">실천 내용</th><th>○,×</th></tr>
<tr><td rowspan="2">사고</td><td colspan="3">자신의 감정이 자신의 생각보다 사실에서 발생한다고 생각한다</td><td>○,×</td></tr>
<tr><td colspan="3">뇌에 좋은 자극(새로운 언어 배우기)</td><td>○,×</td></tr>
<tr><td>명상</td><td colspan="3">하루 10분이상을 실천하도록 한다</td><td>○,×</td></tr>
<tr><td rowspan="2">놀이 (운동)</td><td colspan="3">20분이상 운동 하기(1주일 3회 이상)</td><td>○,×</td></tr>
<tr><td colspan="3">휴가(1년에 2회 이상 여행 가기)</td><td>○,×</td></tr>
<tr><td rowspan="3">수면</td><td colspan="3">규칙 적인 수면 취하기</td><td>○,×</td></tr>
<tr><td>7시간 이상</td><td>6시간이상</td><td>5시간이상</td><td>○,×</td></tr>
<tr><td></td><td></td><td></td><td>○,×</td></tr>
<tr><td rowspan="5">먹거리</td><td colspan="3">매 끼니를 지킨다</td><td>○,×</td></tr>
<tr><td colspan="3">하루에 커피나 차 종류를 3잔이하로 마신다
(카페인 제한)</td><td>○,×</td></tr>
<tr><td colspan="3">1주일에 패스트 푸드를 3회 이하로 먹는다</td><td>○,×</td></tr>
<tr><td colspan="3">1주일에 육류섭취를 2회 이하로 줄인다
(지방섭취 제한)</td><td>○,×</td></tr>
<tr><td colspan="3">1주일에 술을 2회 이하로 마신다</td><td>○,×</td></tr>
</table>

※ 위에 기록된 실천내용들을 지키며 전체적인 횟수를 늘려가려고 노력한다 (1~2일 체크)

※ 상기 표는 본인이 '뇌 관련 연수'를 받을 때 직접 만든 것임.

아침명상 ! 꼭 해야하는 이유

1. 스트레스 해소

스트레스는 현대인들이 많이 경험하는 많은 문제 중 하나입니다.스트레스는 건강을 해칠 뿐만아니라, 일상생활에서 문제를 일으키기도 합니다. 하지만 아침명상은 스트레스를 줄이는 데 효과적입니다. 명상은 정신적 안정성을 제공하고, 스트레스 호르몬인 코티솔의 분비를 줄입니다.이로 인해 명상을 한 뒤 스트레스가 줄어들고, 긴장상태가 해소됩니다.

2.집중력 향상

아침명상은 집중력 향상에도 효과적입니다. 명상은 뇌파를 안정시키는데, 이를 통해 집중력을 높일 수 있습니다. 또한, 명상을 하면 자극에 대한 감수성이 낮아지고, 외부적인 방해요인들에 대한 대처 능력이 향상됩니다. 이는 업무나 공부를 할 때 더욱 집중할 수 있게 도와줍니다.

3. 건강한 뇌발달

아침명상은 뇌 발달에도 좋은 영향을 줍니다. 명상은 뇌파를 안정시켜 뇌의 구조와 기능을 개선합니다. 또한 명상은 뇌의 전반적인 기능을 향상시키는데 도움을 줍니다. 이로 인해 아침명상을 하는 것은 건강한 뇌발달을 돕는데 큰 역할을 합니다.

4. 자기애 증진

아침명상은 자아 인식을 높이는데 도움을 주고, 자기 안에서의 안정감을 높입니다. 이를 통해 자기애가 증진되고, 자신의 가치를 더욱 높이는데 도움을 줍니다. 또한 명상을 통해 자신의 감정에 더욱 민감해지고, 이를 적극적으로 받아들이는 방법을 배울 수 있습니다.

출처《https://m.blog.naver.com/lijueun/223027063457》

언제나 현재에 집중할 수 있다면 행복할 것이다. - 파울로 코엘료 -

아침 음악

<아침명상에 좋은 음악>

엘가 - Pomp and Circumstance Marches
하이든 - Symphony No.94 The Surprise
베토벤 - 운명 교향곡
바그너 - 탄호이저 서곡
그리그 - 아침의 무드

<아침에 들으면 상쾌한 클래식>

그리그 - 아침의 무드
슈만 - 아베크 변주곡
헨델 - 라르고
헨델 - 시바여왕의 도착
모차르트 - 현악 5중주
요한스트라우스2세 - 아름답고 푸른 도나우
엘가 - 사랑의 인사
차이코프스키 - 꽃의 왈츠
파헬벨 - 캐논
드보르작 - 어머니가 가르쳐 주신 노래

출처《https://www.bing.com/》

아름다운 꿈

아름다운 꿈을 지녀라
그리하면 때 묻은
오늘의 현실이
순화되고 정화될 수 있다.

먼 꿈을 바라보며
하루하루

그 마음에 끼는 때를
씻어나가는 것이 곧 생활이다.

아니, 그것이
생활을 헤치고 나가는 힘이다.

이것이야말로
나의 싸움이며 기쁨이다.

-라이너마리아릴케-

라이너마리아릴케
(독일:Rainer Maria Rilke, 1875년 12월 4일 ~ 1926년 12월 29일)는 오스트리아의 시인이자 소설가이다. 20세기 최고의 독일어권 시인 중 한 명이다.

오스트리아-헝가리 제국 보헤미아 왕국의 프라하에서 출생하여 고독한 소년 시절을 보낸 후 1886년부터 1891년까지 육군 유년 학교에서 군인 교육을 받았으나 중퇴하였다. 프라하・뮌헨・베를린 등의 대학에서 공부하였다. 일찍부터 꿈과 동경이 넘치는 섬세한 서정시를 썼다. 본명은 레네 카를 빌헬름 요한 요제프 마리아 릴케(René Karl Wilhelm Johann Josef Maria Rilke)였으나 연인이었던 루 살로메의 조언에 따라 라이너 마리아 릴케라는 이름으로 바꾸게 되었다.

아침 인사

1.프랑스

> **"비쥬(Bisous)"**
>
> 오른쪽 방향부터 서로의 빰을 양쪽으로 두 번 대며 쪽 소리를 내는 인사법, 유럽에서는 흔히 사용되는 인사법이다. 당황하지 마시길~

2. 태국

> **"사와디캅"**
>
> 양손을 가슴앞에 가지런히 맞대고 고개를 살짝 숙여주면 됨. 이때 남자는 "사와디캅", 여자는 "사와디카" 라고 인사함.-합장한 손이 위로 올라갈수록 공경의 정도가 높다고 함.

3. 스페인

> **"부에노스 디아스"** (아침)
>
> **"부에노스 탈디스"** (점심)
>
> **"부에노스 노제스"** (저녁)
>
> 친한 사일 경우 끌어 안고 한 바퀴돌거나, 볼키스를 하는 인사법.

4. 터키

"메르하바"

머리와 머리를 부딪히거나 볼치스로 인사 어른들과 인사할 때 상대방의 오른손등에 뽀뽀하고 그 손을 자신의 이마에 살짝 대는 것이 예의.

5. 하와이

"샤카"

하와이 원주민 전통인사법 . 엄지와 새끼 손가락을 제외한 모든 손가락을 잡고 인사, 서로 볼을 맞대고 알로하~라고 인사하기도 함.

6. 독일

"구텐 모르겐" [Guten Morgen]-아침

"구텐 탁" [Guten Tag] -점심,

"구텐 아벤트" [Guten Abend]-저녁

손에 힘을 주고 짧고 강하게 악수, 손의 뼈가 아플정도로 당신을 특별한 사람으로 보고 있다는 의미도 있음.

7. 중국, 대만, 홍콩

“니하오”

한국처럼 가볍게 고개를 숙이거나 손을 흔들며 가벼운 미소. 악수를 하는 경우, 가급적이면 중국인이 먼저 손을 내밀고 악수를 하는 것이 좋음.

8. 일본

“오하요~고자이마스” -아침

“곤니찌와” -점심

“곤방와” -저녁

존경의 정도에 따라 허리를 숙이는 각도가 다름 존경이나 감사의 마음을 담을 경우 상체를 좀더 숙여서 인사.

9. 인도

“나마스테”

턱밑으로 두 손을 모아 고개를 숙이며 “나마스테” 라고 말함.

인도의 인사법에서 조금 더 공손한 표현은 “나마스카”

내 안의 신이 당신 안에 깃든 신에게 경배합니다. 의 뜻이다.

10. 이탈리아

"부온죠르노"

가벼운 포옹과 함께 뺨에 가벼운 키스를 남김. 실제 연인 사이가 아니라면 진짜 키스를 하면 않됨. 입으로 소리만 내는 것.

11. 미국, 캐나다, 호주, 영국, 인접지역

"굿모닝", "헬로우", "하이"

가장 기본 인사병법. 악수 . 우리나라와 비슷. 여행중에 상대방에게 길을 물어보거나 혹은 부탁을 할 때 상대방에게 먼저 손을 살짝 내밀면서 대화를 시도해 보는 것도 좋음.

12. 이스라엘

"샬롬"

샬롬~이라고 외치며 서로의 어깨를 주물러 줌.

13. 그 밖의 특이한 문화 행동

*티벳의 경우

반가움의 표시로 자신의 귀를 잡아당기면서 혓바닥을 길게 내밈.

*아프리카 마사이 족 - 상대방의 얼굴에 침을 뱉음.

*몽골족은 서로를 껴안고 내앞에 있는 상대방의 몸 냄새를 맡음.
*독일을 포함한 오스트리아, 이탈리아, 스페인 등의 유럽과 중남미 국가는 남성들이 여성들과 악수 후 손등에 입맞춤을 습관적으로 함.
*덴마크,벨기에,네덜란드에서는 여성의 손등에 입맞추면 '싸데기' 를 맞음.

출처《https://m.blog.naver.com/mrchoi1830/221055183913》

단순하게 살아라. 현대인은 쓸데없는 절차와 일 때문에 얼마나 복잡한 삶을 살아가는가? - 이드리스 샤흐 -

술을 끊으면 일어나는 놀라운 변화

우리가 자주 즐기는 술은 건강에 어떤 악영향을 끼칠까. 하루 한 잔의 맥주나 와인이 건강에 도움이 된다는 것은 흔히 알려진 상식이다. 하지만 짧은 기간 많은 양의 알코올 섭취는 두뇌와 몸의 장기에 큰 손상을 줄 수 있다.

세상에는 맥주와 소주, 위스키, 보드카 등 다양한 종류의 술이 존재한다. 술의 종류와 브랜드, 먹는 장소나 방법에 따라 가격도 천차만별이다. 2017년을 준비하며 늘 금주를 결심하지만 실패를 경험했던 애주가들에게 알코올을 끊으며 생기는 놀라운 신체 변화를 온라인 매체 위티피드가 소개했다.

1. 숙취가 사라진다
술을 먹으면 다음 날 아침 나타나는 가장 흔한 후유증이 바로 숙취다. 전날 술자리의 여파로 머리가 아프면서 일어나기 힘들었던 경험은 누구나 한 번쯤은 있을 것이다. 그런데 술을 끊으면 다음날 아침 보다 활기 넘치는 자신을 발견하게 된다.

2. 술배가 없어진다
술을 마시는 사람들은 '술배'라는 용어를 모두 들어봤을 것이다. 술을 자주 먹는 사람들의 배가 볼록하게 나온 것을 지칭하는 말이다. 몸에 지방이 덕지덕지 붙은 것이다. 술은 뱃살 등 체중 증가의 직접적인 원인이다. 당신의 무절제한 식습관이 초래한 업보이다.

3. 피로도가 덜하다

오후에 자주 몸이 늘어지고 피곤해지는 것을 느낀다면 술 때문일 가능성이 크다. 며칠간 술을 끊고 몸의 상태를 점검해보면 당장의 효과를 체감할 수 있다. 가수 이장희의 '한 잔의 술'은 중년들의 어설픈 변명일 뿐이다. 당장 끊어야 한다.

4. 짜증이 줄어든다

주변에서 술을 진탕 마신 다음날 숙취나 컨디션 저하로 자주 화를 내고 짜증 내는 경우를 쉽게 볼 수 있다. 남녀 불문이다. 술을 줄이면 당신 몸의 에너지가 상승해 기분전환 효과를 볼 수 있다. 도전한 적이 없다면 꼭 한 번 시도해봐라.

5. 피부손상 바이바이!

술이 피부를 건조하게 만들어 여드름과 노화 촉진 등 각종 트러블을 야기한다는 것은 누구나 공감하는 사실이다. 지금 당장 술을 포기한다고 해서 얼굴 주름이 사라지지는 않을 것이다. 하지만 술을 즐길 때보다 그 노화가 훨씬 덜하리라는 것은 확실한 팩트다.

6. 기억력이 살아난다

술을 끊으면 뇌세포가 빨리 죽는 것을 막을 수 있다. 술을 즐기면 당신은 더 빨리, 자주 기억을 잃을 수 있게 된다. 알코올 양이 기억력에 영향을 미치기 때문이다. 혈액 중 알코올 농도가 높아지면 기억의 손상 정도도 늘어난다.

7. 주머니 사정도 좋아진다

분위기 좋은 바에서 술을 즐긴다면 당신의 지갑은 금방 텅텅 비어버릴 것이다. 술을 끊는 것만으로도 꽤 많은 돈을 절약할 수 있다. 이 얘기는 비단 4050세대에만 국한되는 것은 아니다. 2030세대 또한 부지불식 간에 찾아올 내일을 대비해야 한다.

8. 장기손상도 예방한다

실제로 알코올이 두뇌와 피부, 장기에 손상을 유발하는 것은 익히 알려진 상식이다. 특히 간과 신장은 술의 악영향을 가장 많이 받는 신체부위다. 당신이 술과의 인연을 끊으면 당신 몸 속 장기가 편안함을 느낀다. 다가오는 새해 반드시 술을 끊어보자.

출처《https://m.segye.com/view/20161227002259》

깨어진 항아리의 가치

조금 깨어져 금이 가고 오래된, 못생긴 물 항아리 하나가 있었습니다. 그 항아리의 주인은 다른 온전한 것들과 함께 그 깨어진 항아리를 물을 길어오는데 사용했습니다. 오랜 세월이 지나도록 그 주인은 깨어진 물 항아리를 버리지 않고 온전한 것들과 똑같이 아끼며 사용했습니다. 그 깨어진 물 항아리는 항상 주인에게 미안한 마음이었습니다.

'내가 온전치 못하여 주인님에게 폐를 끼치는구나! 나로 인해 그 귀하게 구한 물이 새어버리는데도 나를 아직도 버리지 않으시다니…'
어느 날, 물을 길어 집으로 가는 길에 너무 미안하다고 느낀 깨어진 항아리가 주인께 물었습니다. "주인님, 어찌하여 새롭고 온전한 항아리를 구하지 않으시고, 저를 계속 쓰고 계시는 것입니까? 저는 별로 소용 가치가 없는 버려져야 할 항아리잖아요!" 주인은 그의 물음에 아무 대꾸도 하지 않은 채, 그 물 항아리를 지고 계속 집으로 가고 있었습니다. 그러다 어느 길을 지나며 조용하고 부드럽게 말했습니다. "얘야, 우리가 걸어온 길을 보아라!" 그제야 물 항아리는 주인과 늘 물을 길어 집으로 걸어오던 길을 보았습니다.

길가에는 온갖의 예쁜 꽃들이 아름다운 자태를 서로 자랑하며 싱싱하게 피어 있는 것이 아닌가! 눈이 휘둥그러지게

놀란 그 깨어진 물 항아리가, “주인님, 어떻게 이 산골 길가에 이렇게 예쁜 꽃들이 피어 있을까요?“ 그러자 주인이 빙그레 웃으며 말했습니다. “메마른 산 길가에서 너의 깨어진 틈으로 새어서 흘러나온 물을 먹고 자란 꽃들이란다!

’세상에는 버릴 것이 하나도 없다’는 노자의 말씀을 새삼스럽게 떠올리게 하는 이야기입니다.

우리나라의 평균 수명이 수년전보다 더 높아지고 있습니다. 즉 종전엔 남자는 70.6세, 여자는 78.1세의 수치를 보였었는데 최근 발표에 의하면 남자는 72.8, 여자는 80.01로 밝혀지고 있습니다. 자고로 우리 사회는 고령화 사회로 접어들고 있습니다. 그러나 사회의 모든 제도는 고령화 사회를 전혀 대비하지 않은 채 고령화의 사회가 되어가고 있다는 사실이 문제가 아니 될 수 없습니다.

주지하는 바와 같이 공무원 사회는 이미 정년이 하향 조절된 바 있으며, 일반기업체에서도 ‘사오정’이란 신조어가 생겨날 정도로 이미 한창 일할 나이인 45세가 정년이 되고 있는 현실이지요.

일부 가정에서도 65세가 넘고 병든 부모가 있다면 형제자매가 서로 다퉈가면서 양육을 떠넘기려 하며 외면을 하기가 일쑤라지요? 또한 정부에서도 고령화 사회를 위한 배려가

미약한 실정이지 않습니까. 고령화 사회는 그 시작부터 어려움의 터널에서 헤매고 있는 실정인 것입니다. 우주만물은 시간의 흐름에 따라 변하지 않는 것이 없건만...

'깨어진 물 항아리의 가치'를 통해 '고령화 사회의 가치'가 대비되어 떠오르며 "세상에는 버릴 것이 하나도 없다"는 노자의 말씀이 통하던 시대를 살다간 선대인들의 삶이 눈앞에 아른거려 어지럽기 그지없습니다.

출처《문화일보 / 오피니언 /살며 생각하며「깨어진 항아리의 가치」 2003.7.19.》

이미 끝나버린 일을 후회하기 보다는 하고 싶었던 일들을 하지 못한 것을 후회하라. - 탈무드

성품은 행복의 비결입니다

교만한 사람은 행복하지 못합니다
그 이유는 자족할 수 없기 때문입니다.
감사할 수 없기 때문입니다.

행복한 사람은 정직한 사람입니다.
내면 깊이 행복한 사람들을 만나면 한결같이 정직한 사람임을 알 수 있습니다.

정직하다는 것은 솔직하다는 것을 의미합니다.
진실하다는 것을 의미합니다.
투명하다는 것을 의미합니다

자신의 부족함을 솔직하게 인정하고 그 부족함을 개선해 나간다는 것을 의미합니다.

행복이란 자신의 약점을 알고 자신을 변화시키는데 있습니다

또한, 행복한 사람은 절제할 줄 아는 사람입니다
행복이란 욕심을 채움으로가 아니라 욕심을 다스림으로 주어지는 것입니다.

행복이란 자신만을 생각하는 이기적인 삶이 아니라
남을 배려하는 성숙한 성품에 기초하고 있습니다.

행복한 사람은 자족할 줄 알고, 감사할 줄 아는
사람입니다.

결국, 행복도 성품에 그 뿌리를 두고 있다는 사실을
깨닫게 합니다

-성품 속에 담긴 축복 중에서-

출처《https://blog.naver.com/PostView.naver?blogId=nanasung6&logNo=222909707150/》

아침 꼭 먹어야 할까?

- 아침에 대한 잘못된 상식들 -

과학자들은 아침과 비만의 연관성에 대해 다양한 의견을 가지고 있다.

먼저 미국에서 5만 명을 대상으로 7년간 조사한 결과, 하루 세끼 식사중 아침을 가장 많이 먹은 이들의 체질량지수(BMI, Body Mass Index)는 그렇지 않은 이들보다 더 낮았다.

연구진은 아침 식사가 포만감을 높이고, 일일 칼로리 섭취를 줄이며 식이 요법 실천에 도움이 된다고 주장했다.

또 이들은 아침 식사에 보통 섬유질과 영양소가 많기 때문에 인슐린 감수성(insulin sensitivity)을 향상한다고 밝혔다.

인슐린 감수성이 떨어지면 당뇨 위험성이 늘어난다.

하지만 이러한 연구에 의문을 제기하는 연구들도 있다.

연구진은 52명의 과체중 여성과 함께 12주 체중 감량 프로그램을 진행하며 모두에게 똑같은 칼로리양의 음식을 제공했다.

단, 이 중 절반은 아침을 먹었고 나머지는 먹지 않았다.

그 결과, 연구진은 체중 감량이 아침 식사 자체가 아니라 일상적 패턴을 바꾸는 데에서 찾아온다는 사실을 알아냈다.

아침을 먹다가 중단한 한 여성은 8.9kg을 감량했지만, 평소처럼 아침을 먹은 여성은 6.2kg을 감량하는 데에 그쳤다.

또 아침 식사를 하지 않는 그룹의 경우 아침 식사를 계속해서 걸렀을 경우 평균 6kg을 감량했지만, 다시 아침을 먹은 이들은 평균 7kg을 감량했다.
즉, 생활 습관을 바꿨을 때 체중 감량 효과도 컸다.
아침 식사 자체가 체중 감량을 보장하지 않는다면, 왜 이전 연구에선 비만과 아침 식사의 연관성이 발견된 걸까?
에버딘 대학 알렉산드라 존스턴 연구 교수는 아침 식사를 거르는 사람들이 영양과 건강에 대해 덜 친숙하기 때문이라고 본다.

“아침 식사와 건강의 연관성에 대해 많은 연구가 있지만 대체로 아침을 먹는 사람들은 습관적으로 흡연하지 않고 규칙적으로 운동을 하는 등 건강 증진 행동을 선택하기 때문일 수 있습니다.“
하지만 아직 확실한 것은 없다. 2016년도 학술지에 게재된 10개 연구를 살펴본 결과 그 어느 것도 확실히 아침과 체중의 상관관계를 증명해내지 못했다.
제한된 증거를 근거로 추정했을 뿐이다.

단식이 더 낫다 ?

아침을 거르는 것이 체중감량에 도움이 되는지는 의문이 있다
아침을 거르는 것이 체중감량에 도움이 되는지는 의문이 있다
밤새 단식하고 다음 날까지 굶는 간헐적 단식은 최근 들어 체중 감량 방법으로 촉망받고 있다.

앨라배마 대학 코트니 피터슨 교수 연구진의 한 시범 연구에 따르면 간헐적인 단식은 혈당 조절에 도움이 되고, 인슐린 감수성을 향상하며, 혈압을 낮추는 것으로 나타났다.

연구진은 당뇨병 초기 단계에 있는 8명의 남성을 둘로 나눠 한 집단은 아침 9시부터 오후 3시까지 모든 칼로리를 섭취했고, 다른 한 집단은 12시간에 거쳐 같은 양의 칼로리를 섭취했다.

연구진은 그 결과 오전 9시부터 오후 3시까지 모든 칼로리를 섭취하는 행위가 혈압약을 먹는 것과 동등한 효과를 냈다고 결론지었다. 하지만 비교적 소규모로 이루어진 시범 연구였다는 점을 고려해 장기적인 이점에 대해서는 더 많은 연구가 필요해 보인다.

식사를 거르는 일이 도움이 된다면 식사를 하는 것이 몸에 '해롭다'는 뜻일까?

한 학자는 실제로 그렇게 주장했다.

그는 하루 중 일찍 식사하게 되면 스트레스 호르몬 코르티솔이 더 많이 분비되며, 인슐린 저항력에 영향을 미쳐 당뇨병을 유발한다고 말했다.

하지만 옥스퍼드 당뇨 센터의 프레더릭 카르페 교수는 이를 반박한다.

아침에 높아지는 코르티솔은 신체의 자연적인 현상에 지나지 않는다는 것이다.

그는 이어 아침 식사가 우리의 신진대사를 촉진하는 핵심적인 역할을 한다고 더했다.
“우리 몸에 조직이 음식을 잘 소화하기 위해서는 인슐린을 촉진 시켜줄 탄수화물과 같은 에너지원이 필요합니다. 아침이 꼭 필요한 이유죠.“

지난해 발표된 연구는 아침 식사를 건너뛰는 것이 생체 리듬을 망가뜨리고, 급격한 혈당 수치 상승을 유발한다고 밝힌 바 있다. 아침 식사가 생체 리듬에 중요한 역할을 한다는 것에는 큰 이견이 없다.

피터슨 교수는 아침 식사를 거르고 정상적인 시간에 저녁을 먹는 이들과 아침 식사를 거르고 늦게 야식을 먹는 사람들의 생리가 다르다고 말한다.

전자는 간헐적 금식의 장점들을 흡수하는 반면, 후자는 비만, 당뇨병, 심혈관 질환 등 위험이 높아진다는 것이다.
“혈당 조절은 아침 일찍 하면 할수록 좋습니다. 특히 취약한 늦은 시간 식사하는 행위는 혈당치에 최악입니다.“
“더 많은 연구가 필요하겠지만 아침을 건너뛰거나 저녁을 늦게 먹지 않아야 한다고 확신합니다.“
그는 생체 리듬이 오케스트라와 같다고 덧붙였다.
“우리 생체 시계는 두 부분으로 나뉘어 있습니다. 뇌는 지휘자고 몸의 장기들은 연주자들이죠. 서로 별도로 생각해야 합니다.“
“오케스트라는 빛 노출과 식습관에 따라 움직입니다.“
“햇빛에 노출되지 않은 상태에서 식사하는 경우 신진대사를 조절하는 시계의 시차가 맞지 않아 연주자들이 서로 충돌하죠." 올바른 식습관을 지키는 일은 정기적으로 햇빛을 쬐는 것과 마찬가지로 우리 몸에 핵심적인 역할을 하며, 한 가지라도 지켜지지 않았을 때는 오케스트라의 절반이 다른 곡을 연주하는 것 같은 불협화음을 낼 수 있다는 것이다.

한편 영국 서레이 대학과 아베르딘 대학 연구진은 현재 식사 시간과 몸무게의 연관 관계를 살펴보는 중간 단계에 있다. 이전 연구들은 대부분 이른 식사가 몸무게 감량에 효과적이라고 결론 지은 바 있지만 이번 연구는 그보다 심층적으로 주제에 다가간다.

이번 연구 결과에 따라 논란이 종식될 수 있을지 주목된다.

무엇을 먹느냐가 언제 먹느냐보다 중요

'아침이 우리가 잘 먹어야 하는 유일한 식사는 아니다'

지금껏 밝혀진 바에 의하면, 아침 식사를 거르는 일은 27% 확률로 심장 질환의 위험을 증가시켰고, 남성에게는 21% 확률로, 여성에게는 20% 확률로 2형 당뇨병 위험을 높였다.

아침 식사에 자주 포함되는 곡식에는 비타민, 철분, 칼슘, 섬유소 등이 있다. 이는 적정량 섭취됐을 때 소화 기능과 질병 예방에 도움이 된다. 앞서 언급된 영양소는 집중력, 언어 기능, 뇌 기능 향상과도 관련이 있다고 알려져 있다.

따라서 아침을 거르면 적절한 영양소가 제공되지 않아 건강 이상이 생길 수 있다는 것이다.

이는 곧 '무엇을 먹느냐가 중요하다'는 결론으로 이어진다.

호주 단백질 및 산업 연구기구의 연구에 따르면, 고단백 아침 식사는 야식을 참는 데에 특히 효과적이다.

비록 시리얼이 대중적으로 확고한 인기를 유지하고 있지만 성인용 시리얼의 경우 권장량보다 높은 설탕량을 함유하고 있어 건강에 좋지 않다. 하지만 꼭 단 음식을 먹어야겠다면 일찍 먹는 것이 좋기는 하다.

한 연구진은 아침에 단 음식을 먹었을 때 다른 시간대에 먹은 것보다 신체의 식욕 호르몬 렙틴 수치가 비교적 낮았다고 발표했다.

동시에 텔아비브 대학교 연구진은 단 음식이 아침 식욕 조절에 도움이 된다는 사실 또한 밝혀냈다.

이들은 비만 성인 200명을 상대로 16주간 식이요법 연구를 진행했는데 절반은 아침에 디저트를 제공하고, 나머지 절반은 제공하지 않았다. 그 결과 아침에 디저트를 먹은 사람들은 평균적으로 18kg을 더 감량했다. 하지만 장기간 지속 효과는 증명되지 않았다.

'아침이 유일한 식사가 아니다'

'아침은 일어났을 때 배고픈 사람들에게 가장 중요하다'

모두의 하루가 다르게 시작하듯이 모두의 신체도 다르게 시작한다. 전문가들은 그 개인적 차이가 포도당 기능 측면에서 더 자세히 조사될 필요가 있다고 말한다.

결국 중요한 것은 아침과 같이 단 하나의 식사에 너무 큰 의미를 두지 않고 오히려 하루 내내 무엇을 어떻게 먹는가를 중요히 여기는 것이다.

영양사 사라 엘더는 말한다.

"균형 잡힌 아침 식사도 중요하지만, 정기적으로 식사를 하는 것이 하루 내내 안정적인 혈당을 유지하도록 도와줍니다. 체중과 굶주림을 조절하는 데도 도움이 되죠."
"아침이 우리가 잘 먹어야 하는 유일한 식사는 아니니까요. "

-BBC News 코리아-

출처《https://www.bbc.com/korean/news-46436140》

화나고 속상할 때의 대처법

1.「참자!」 - 그렇게 생각하라.

감정 관리는 최초의 단계에서 성패가 좌우된다.'욱'하고 치밀어 오르는 화는 일단 참아야 한다.

2. 「원래 그런 거」라고 생각하라.

예를 들어 고객이 속을 상하게 할 때는 고객이란 '원래 그런 거'라고 생각하라.

3.「웃긴다」라고 생각하라.

세상은 생각할수록 희극적 요소가 많다. 괴로울 때는 심각하게 생각할수록 고뇌의 수렁에 더욱 깊이 빠져들어간다. 웃긴다고 생각하며 문제를 단순화시켜 보라.

4.「좋다! 까짓 것」이라고 생각하라.

어려움에 봉착했을 때는 '좋다. 까짓 것'이라고 통 크게 생각하라. 크게 마음 먹으려 들면 바다보다 더 커질 수 있는 게 사람의 마음이다.

5.「그럴 만한 사정이 있겠지」라고 생각하라.

억지로라도 상대방의 입장이 되어보라. '내가 저 사람이라도 저럴 수밖에 없을 거야.'
'뭔가 그럴 만한 사정이 있어서 저럴 거야.'이라고 생각하라.

6.「내가 왜 너 때문에」라고 생각하라.

당신의 신경을 건드린 사람은 마음의 상처를 입지 않고 있는데, 그 사람 때문에 당신이 속을 바글바글 끓인다면 억울하지 않은가. '내가 왜 당신 때문에 속을 썩어야 하지?' - 그렇게 생각하라.

7.「시간이 약」임을 확신하라.

지금의 속상한 일도 며칠, 아니 몇 시간만 지나면 별 것 아니라는 사실을 깨달아라.
너무 속이 상할 때는 '세월이 약'이라는 생각으로 배짱 두둑히 생각하라.

8.「새옹지마(塞翁之馬)」라고 생각하라.

세상만사는 마음먹기에 달렸다. 속상한 자극에 연연하지 말고 '세상만사 새옹지마(塞翁之馬)'라고 생각하며 심적 자극에서 탈출하려는 의도적인 노력을 하라.

9.「즐거웠던 순간」을 회상하라.

괴로운 일에 매달리다 보면 한없이 속을 끓이게 된다. '즐거웠던 지난 일'을 회상해 보라. 기분이 전환될 수 있다.

10.「눈을 감고 심호흡」을 하라.

괴로울 때는 조용히 눈을 감고 위에서 언급한 아홉 가지 방법을 활용하면서 심호흡을 하라. 그리고 치밀어 오르는 분노(忿怒)는 침을 삼키듯 '꿀꺽' 삼켜 보라.

출처《fineword.tistory.com「마음의 좋은글」》

진짜 문제는 사람들의 마음이다. 그것은 절대로 물리학이나 윤리학의 문제가 아니다. - 아인슈타인 -

세상에서 가장 아름답고 소중한 것

이 세상에서 가장 아름다운 것은 곱게 화장한 얼굴이 아니라 언제나 인자하게 바라보는 소박한 어머니 모습입니다. 세상에서 가장 예쁜 손은 기다란 손톱에 메니 큐 바른 고운 손이 아니라 따스한 손으로 정성스럽게 보살핌을 주는 어머니의 거치른 손입니다. 세상에서 가장 값진 것은 사랑을 나눌 줄 알고 베풀 줄 아는 넉넉한 마음입니다. 세상에서 가장 소중한 것은 작은 것이라도 아끼고 소중히 여길 줄 아는 겸소함입니다. 세상에서 가장 소중한 것은 사랑입니다. 부모자식간의 사랑, 부부의 사랑, 연인들의 사랑.. 사랑이 없는 곳에는 웃음과 행복이 없기 때문입니다. 세상에서 가장 아름다운 소리는 "당신을 사랑합니다.", "당신이 있어 행복합니다." , "당신이 내 심장을 뛰게 합니다."라는 말입니다. 이보다 더 듣기 좋은 말은 없을 테니까요.

세상에서 가장 중요한 것은 마음가짐 입니다. 언제나 긍정적인 사고방식으로 살아가려는 마음은 마음에 평안과 안식을 준답니다. 세상에서 가장 소중한 것은 진실입니다. 진실한 말 한마디로 믿음과 행복을 줄 수 있다면 마음의 문을 열어 진실한 목소리로 행복을 주고 싶습니다.

출처《www.brcity.kr > news「이 세상에서 가장 소중한 것」 2009.5.18.》

인생을 살아가는 지혜

삶이 힘들거나 외로울 때 가슴으로 전해오는 인정어린 말보다 더 값지고 귀한 것은 없습니다.
눈물이 나고 슬플 때 흐르는 눈물을 닦아주며 말없이 꼭 잡아주는 손길보다 상실된 삶에 힘을 더 주는 것은 없습니다. 비록 우리가 돌멩이처럼 흩어져 각자의 삶을 걸어가고 있어도 우리는 모두가 바람처럼 왔다가 지는 꽃잎과 같이 외로운 길을 떠나는 나그네입니다. 서로가 서로의 이름을 불러 서로에게 사랑을 전할 때에 진정 世上을 살아가는 의미뿐만 아니라 세상과 이별할 줄을 아는 지혜도 알게 됩니다. 우리는 마음이 따뜻한 사람들입니다. 짙은 초록빛의 잎들이 지쳐 변색되는 이 가을에 삶을 되돌아보는 그런 가슴의 소유자가 되시기 바랍니다. 우리는 마음이 따뜻한 사람들입니다. 짙은 초록빛의 잎들이 지쳐 변색되는 이 가을에 삶을 되돌아보는 그런 뜨거운 가슴의 所有者가 되시기 바랍니다.

'내게는 아직 한쪽 다리가 있다' 란 시집(파랑새어린이 발행)은 소아암으로 9년 9개월을 살다간 대만의 주대관(1987~1997)어린이가 암과 싸우며 남긴 42편의 시가 수록된 책 이름 입니다. 태어나면서부터 부모의 서재에서 책을 장난감 삼아 놀았고, 세 살 때 '천자문' 과 '삼자경' 을 통째로 암기를 했으며, 당시 300수를 암송하는 등의 천재적 기질을 보여 그의 짧은 생이 더욱 안타깝게 여겨집니다.

"두 다리를 다 못 쓰는 사람도 있어 그래도 나는 한쪽 다리가 있잖아 나는 아름다운 세상을 다 다닐 거야. "

암으로 한쪽 다리를 잘라내는 고통과 자신의 삶이 곧 다하리라는 것을 알면서도 아름다운 세상과 밝은 생에 대한 의지를 버리지 않았던 주대관 소년의 길지 않은 삶의 이야기가 담겨있습니다.

"아빠, 엄마, 동생아, 내가 죽으면 내가 온 힘을 다해 암과 싸웠다는 것을 암에 걸린 다른 아이들과 그 부모들에게 전해주고 그들에게 용기와 강한 의지를 갖고 암이라는 악마와 맞서 싸워달라고 전해주세요. "

그가 남긴 말은 삶의 의미와 소중함, 生命에의 용기와 의지를 애처롭게 일깨워주고 있습니다. 이 소년의 유언대로 부모는 소아암으로 고통받는 어린이들을 돕는 "주대관 문고 기금회 '를 만들어 활동 중에 있습니다. 그동안 살면서 조금만 어려워도 절망을 했었던 저의 삶이 매우 부끄럽게 여겨집니다. 조금도 굽히지 않고 어려움에 도전하는 그의 투혼에 고개가 절로 숙여지며, 아울러 용기(勇氣)를 샘솟게 합니다. 내게 처한 조건이나 환경에 굴하지 않고 참인생의 길을 걸어가야겠습니다.

출처《「내게는 아직 한쪽 다리가 있다」 저자 송방기,주대관 번역 김태연,송현아 출판 파랑새어린이 2001. 5. 10》

진실만 담는 예쁜 마음의 그릇

남의 단점만을 찾으려는 교정자가 되어선 안 됩니다. 남의 단점을 찾으려는 사람은 누구를 대하든 나쁘게만 보려고 합니다. 그래서 자신도 그런 나쁜 면을 갖게 됩니다. 남의 나쁜 면만 찾아서 말하는 사람은 언젠가 자신도 그 말을 듣게 됩니다.

남의 좋은 면, 아름다운 면을 보려고 해야 합니다.
그 사람의 진가를 찾으려고 애써야 합니다. 그 아름다운 사람을 보면 감동하며 눈물을 흘리고 싶을 만큼의 맑은 마음을 가져야 합니다.

남의 좋은 점을 찾다 보면 자신도 언젠가는 그 사람을 닮아 가게 됩니다. 남의 좋은 점만을 말하면 언젠가 자신도 좋은 말을 듣게 됩니다. 참으로 맑고 좋은 생각만을 가지고 나머지 날들을 수놓았으면 좋겠습니다.

마음이 아름다운 사람을 보면 코끝이 찡해지는 감격을 가질 수 있는 티 없이 맑은 마음을 가졌으면 좋겠습니다.

누구를 만나든 그의 장점(長點)을 보려는 순수한 마음을 가지고 남을 많이 칭찬할 수 있는 넉넉한 마음을 가졌으면 좋겠습니다. 말을 할 때마다 좋은 말을 하고 그 말에 진실(眞實)만 담는 예쁜 마음 그릇이 내 것이었으면 좋겠습니다.

출처《「마음을 열어주는 따뜻한 편지」 저자 최복현 그림

미상 출판 바움 2003.4.20 》

우리가 빨간색의 안경을 쓰고 세상을 바라보면 모든 것이 빨갛게 보이고, 또한 파란색의 안경을 쓰고서 세상을 본다면 천지가 파랗게 보일 것입니다. 마찬가지로 상대방의 단점만 보기 위한 안경을 쓰고서 상대방을 바라본다면 그의 단점(短點)만 보이게 될 것이며, 반대로 상대방의 장점(長點)만 보이는 안경을 쓰고서 상대를 바라보면 그의 장점만이 부각되어 보일 것입니다.

남의 처해진 상황을 이해하고, 좋은 점만을 바라볼 줄 아는 사람만이 진실된 사람입니다.

반대로 진실성이 없는 사람은 남의 단점만을 들춰내며 분노와 비난만을 일삼는 삶을 누리게 돼, 자신뿐만 아니라 남까지 불행한 삶을 누리게 만듭니다.

자신을 사랑하고 존경하는 자만이 다른 사람을 존경할 수 있습니다.

반대로 자신에 대한 사랑과 존경심이 없을 때 세상을 부정적으로 대하게 되어 자신과 남으로부터 버림을 받게 되어 외로움의 늪에 빠져 헤어나지 못하게 됩니다.

변기에는 대.소변만이 담기듯이 부정적인 면만을 찾는 사람은 부정한 생각만이 가득 차서 자신뿐만 아니라 남에게까지도 해악을 끼치게 됩니다.

그러나 긍정적인 시각의 소유자는 진실만을 담는 예쁜 마음의 그릇을 지니고 있어 우리의 밝은 미래를 기대할 수 있습니다.

뇌기능 향상을 위한 뇌(腦)건강 습관

1. 다양한 취미생활(趣味生活)을 가져라.

강산, 나라, 이름 등을 매일 100개 이상 암기하는 놀이도 좋다. 죽은 신경세포는 다시 살아날 수 없으나, 뇌신경 세포는 훈련을 통하여 다시 되살아난다.

2. 하루 20~30분은 책(冊) 읽는데 투자하라.

남 욕하는데 시간 허비하지 말고, 매일 조금씩이라도 책을 읽고, 읽은 내용을 이야기하거나, 글로 써 지식의 뇌를 골고루 발달시켜라. 음악, 미술 감상을 통해 감정의 뇌도 함께 발달시킨다.

3. 늘 똑같은 일만 반복(反復)하지 말라.

이제까지 시도해 보지 않았던 새로운 취미 생활을 적극적으로 개발하라. 새로운 경험에 뇌는 더 큰 자극을 받게 된다. 지적 자극은 뇌기능의 쇠퇴를 막을 수 있다.

4. 한번에 한 가지씩만 생각하라.

공부를 하면서 수많은 잡념을 동시에 할 경우 효과가 없듯, 뇌는 두세 가지 정보가 한꺼번에 들어오면 강한 내용만 입력될 뿐이다. 하나씩 들어오면 100% 입력된다.

5. 뭔가를 쓰고 정리(整理)하는 습관을 가져라.

일기 쓰는 습관과 편지 쓰는 습관을 권한다. 단 몇 줄이라고 좋다.

6. 신체적(身體的)운동(運動)을 활발히 하라.

나이가 들수록 편하게 가만히 있는 자세보다 머슴처럼 열심히 일하는 것이 두뇌발달과 장수에 좋다.

7. 배우려는 의욕(意欲)을 나이가 들어서도 포기하지 말라.

컴퓨터나, 어학, 악기 배우기 등 새로운 것에 도전할 때 우리의 뇌는 집중하게 되고 다시 깨어나게 된다. 또 뇌(腦)의 노화방지(老化防止)에도 효과적이다.

출처《「나이보다 젊어지는 행복한 뇌」 저자 서유헌 출판 비타북스 2014.10.1. 》

윗글은 서울대의대 약리학과 서유헌(한국뇌학회 회장) 교수께서 뇌기능의 쇠퇴나 치매를 방지하기 위해 제시한 글입니다. 뇌기능의 쇠퇴나 치매를 막으려면 어린 시절 못지않게 성인이 돼서도 끊임없이 지적 자극에 노출되도록 노력하여야 한다고 강조하고 있습니다.

대개의 사람들은 활동을 하기보다는 정적인 자세를 취하기를 좋아하고 또한 편함만을 추구합니다. 아마도 흐르는 핏속엔 아직도 양반의 잔재가 남아 있어서 생각을 하거나, 활동을 하는 일, 쓰는 일 등을 천한 일로 여겨 아랫것들에게 시키고자하는 마음이 잠재하고 있기 때문이 아닐런지요?

그러나 내 몸은 나를 위해 存在하는 것, 내가 건강하여 오래 사는 것도 나의 모든 행위에 정비례하는 것임을 서유헌 교수께서 넌지시 일깨워주고 있지 않습니까? 일단 뇌장애병의 하나인 치매에 걸리면 당사자뿐만 아니라, 가족 및 그 친·인척들에게까지도 어려움을 주는 난치병임이 만천하에 알려지고 있는 사실이 아닙니까? 위에서 제시한 뇌기능의 퇴화 방지법을 숙지하셔 치매를 예방하면서 장수하시는 님이시길 기원합니다.

기회는 찾고 노력하는 자의 것

미국 스탠퍼드대학에 다니는 한 학생이 아르바이트 자리를 찾아다녔습니다.
학자금과 생활비가 필요한 학생은 며칠을 이른 새벽부터 일자리를 찾아다녔지만 쉽지 않았습니다.
거의 포기 상태에 이르렀을 때 한 회사의 아르바이트생 모집 공고를 발견한 학생은 회사로 찾아가 말했습니다.

"저는 정말 누구보다 성실합니다.
어떤 일이든 다 잘할 수 있다는 장담은 못 하지만 무슨 일이든 정말로 열심히 하겠다는 것은 장담할 수 있습니다."

학생의 말을 들은 채용 담당자는 미소를 지으며 말했습니다.

"열성적인 모습이 보기 좋네요.
그런데 혹시 타자기를 다룰 줄 아시나요?
타이프를 칠 줄 안다면 지금 당장 일을 시작하게 해 주겠습니다."
아직 컴퓨터가 대중적으로 보급되기 전 시절 대부분의 서류는 수기나 타자기로 작성되었습니다.
그리고 당시에 타자기를 다루는 것은 제법 기술이 필요한 일이었습니다.

잠시 무언가를 생각하던 학생은 채용 담당자에게 자신에게 4일간의 시간을 달라고 부탁했습니다.
그리고 4일 후에 출근한 학생은 곧바로 능숙하게 타자기를 다루며 일을 시작했습니다.
그 모습을 본 채용 담당자는 학생에게 그동안 무엇을 했느냐고 묻자 학생은 이렇게 대답했습니다.

“저는 그동안 두 가지 일을 했습니다. 한 가지는 타자기를 빌린 일이고, 또 한 가지는 밤을 새우며 타자 연습을 했습니다.”
이 학생은 바로 훗날 미국 31대 대통령이 된 ‘허버트 후버’였습니다.

기회(機會)란 모든 것이 준비된 사람에게만 찾아오는 것이 아니라 오히려 무언가를 찾고자 하는 사람들에게 발견(發見)되는 것이 기회입니다.
하지만, 찾아온 기회를 놓치지 않고 자신의 것으로 만들기 위해서는 거기에 최선을 다하는 노력까지 필요합니다.
스스로 찾고 노력하고 개척하는 사람에게 붙잡히는 것이 바로 기회입니다.

-좋은글 중에서-

출처《https://m.blog.naver.com/bwkw0712/223110477793/》

<2023년-아시안컵> "말레이와 무승부"

- 클린스만 감독 "상대 PK 등 판정 아쉬워"-

2023 아시아축구연맹(AFC) 아시안컵 조별리그 최종전에서 최약체급인 말레이시아를 상대로 졸전 끝에 비긴 한국 축구 국가대표팀의 위르겐 클린스만 감독은 심판 판정에 불만을 드러냈다.

16강전에서 '난적' 일본을 피하기 위한 '전략' 같은 건 전혀 없었다며, 단판 승부에선 더 나은 모습을 다짐했다.

클린스만 감독은 25일 카타르 알와크라 알자눕 스타디움에서 열린 아시안컵 조별리그 E조 3차전을 마치고 기자회견에서 "양 팀 합해 6골이 나온 상당히 박진감 넘치는 경기였다"고 되짚었다.

이날 클린스만호는 말레이시아와 3-3으로 비겨 E조 2위(1승 2무 · 승점 5)로 조별리그를 마쳤다.

16강 진출은 이미 확정한 상태에서 순위를 가리는 경기였으나 국제축구연맹(FIFA) 랭킹 130위인 말레이시아에 전반 1-0으로 앞선 뒤 후반 두 골을 연속으로 내주고 역전을 당하는 등 내용이 좋지 못해 이어질 단판 승부에 먹구름을 드리웠다.

후반 38분 이강인(파리 생제르맹)의 프리킥에서 비롯된 상대 골키퍼의 자책골로 균형을 맞추고, 후반 추가 시간엔 주장 손흥민(토트넘)이 페널티킥으로 역전 골까지 터뜨렸으나 추가 시간 15분 '극장 동점 골'을 내줘 패배 같은 무승부를 떠안았다.

나도 이 경기를 쭉 지켜보았는데 내용이 너무 없었다.
내가 봐도 정말로 부끄러운 경기였다. 그런데도 클린스만 감독은 박진감 넘치는 경기였다고 한다. 참... 어이가 없다.

출처《https://www.yna.co.kr/view/AKR20240125176700007/》

출처《https://www.bing.com/》

여우의 짧은 생각

여우의 발은 험한 산길을 걸어 다니느라 가시에 찔리고 돌멩이에 부딪혀 성한 날이 없었다.

어느 날 여우는 인간들이 도로 포장하는 것을 숨어서 보았다. 돌자갈 길 위에 아스팔트를 입히자 감쪽같이 반들거리는 길이 되지 않은가. 여우는 옳거니 하고서, 자기도 원대한 계획을 세우기에 이르렀다. 그것은 토끼를 잡아서 토끼의 껍질로 자기가 다니는 산길을 덮는 일이었다.

그날도 여우는 사냥하여 토끼를 한 마리 잡았다. 그리고는 잡힌 토끼에게 이르기를, "미안하지만 어르신이 이 산중의 길을 편히 걸어 다니기 위해서는 너희가 희생할 수밖에 없구나!"라고 하였다. 그러자 토끼가 말했다. "아니, 어르신, 이 산중의 토끼를 모두 잡는다해도 토끼 가죽 길을 만들기는 어렵습니다. 그러나 제 꼬리를 잘라서 어르신의 발에 가죽신을 만들어 신으면, 산중 길이 토끼 가죽 길이나 다름없을 텐데. 왜 그런 어리석은 짓을 하십니까?" 음 ... 네 말이 옳다!"

출처《「고도원의 아침편지」 독자가 쓰는 아침편지 "여우의 짧은생각" 2003.3.8.토요일》

대다수 사람들은 세상만사가 자기 마음에 들게 되기를 원

하나, 어디 세상이 그렇게 호락호락한가요?
그래도 고집을 부려가면서까지 세상을 내 마음에 들게끔 한다며 필요악의 세월을 낭비하지만, 그 결과는 주위 사람들은 물론 나까지도 실망하게 되는 경우가 없지 않죠.
어느 분이 이런 말을 했습니다.
"어느 일을 잘못 판단하고서 부지런 떨며 열심히 밀어부쳤는데, 후에 그것이 잘못됐음을 깨닫고서 돌이키려 하나 이미 때는 늦습니다. 그렇게 되면 차라리 몰라서 더듬거리며 늦게 하느니만 못하다"라고. 오늘도 자문해 봅니다.

"너는, 혹시 세상을 네 마음에 들게끔 하려고 쓸데없이 세월을 소비하고 있지 않는지? "
오늘도 혼자 중얼거립니다.

'여우처럼 세상만사를 바꾸려 하기보다는, 토끼의 생각처럼 내 마음 하나만 바꾸면 될 것을 ... '

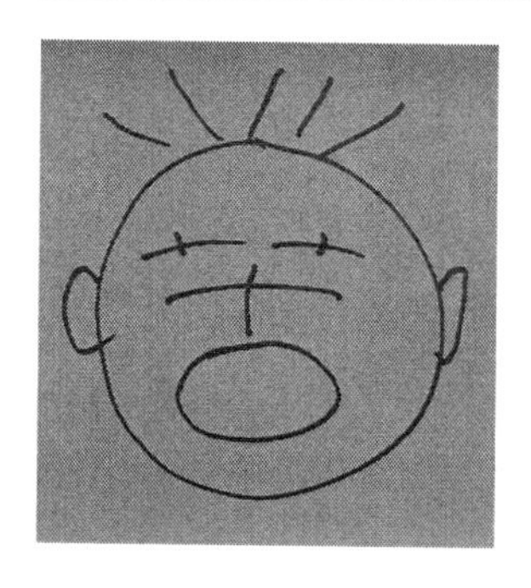

인간의 얼굴을 잘 살펴보면,
얼굴 안에 "고(苦)" 라는 글자가 선명히 나타나 있다. 그러므로 인간은 평생을, 사람마다 다르지만 고통을 안고, 견디며 살아가야 하는 것은 아닌지? - 우재 생각 -

인생에서 조심해야 할 것들

생각은 행동을, 행동은 습관을, 습관은 성품을, 성품은 운명을 낳는다.

- 스티븐 코비 -

생각을 조심하라.
왜냐하면 그것은 말이 되기 때문이다.

말을 조심하라.
왜냐하면 그것은 행동이 되기 때문이다.
행동을 조심하라.
왜냐하면 그것은 습관이 되기 때문이다.
습관을 조심하라.
왜냐하면 그것은 인격이 되기 때문이다.
인격을 조심하라.
왜냐하면 그것은 인생이 되기 때문이다.

- 마하트마 간디 -

출처《https://hhjung7647.tistory.com/2400》

"넓게 더 아름답게" 를 외치는 삶을

- 아주 사소한 일이지만 남을 배려하지 않고 먼저 자기 실속만 차리려는 경향에 빠져드는 자신을 볼 때에 얼른 '넓게 더 아름답게!'하고 속으로 외칩니다.

- 늘 함께 지내는 이의 행동이 못마땅하고 그를 향한 이해의 폭이 자꾸만 좁아지려 할 때, '넓게 더 아름답게!' 하고 마음을 다독입니다.

- 남의 호의를 무시하고 의심하는 옹졸한 자신의 모습을 발견할 때, '넓게 더 아름답게!'를 외웁니다.

- 남의 작은 실수도 용납하지 못하고 용서가 안 돼 속을 끓일 때에도, '넓게 더 아름답게!'를 읊조립니다.

모든 일에 '넓게 더 아름답게!'를 기도(祈禱)처럼 끊임없이 외우고 실천(實踐)하면서 봄. 여름. 가을. 겨울 삶의 길을 함께 걸어야겠지요?

어느 새 봄이 오고 있는 바닷가에서 나는 오늘 이렇게 고백해 봅니다.

'큰 하늘을 담은 바다처럼 내 마음도 한없이 넓어지고 싶습니다.

늘 부서질 준비가 되어 있는 파도처럼 내 마음도 더 낮아지고 깨지고 싶습니다.

그래야 넓고 아름다운 사람이 될 수 있음을 온몸으로 가르치는 바다여, 파도여, 사랑이여... '

출처《「향기로 말을 거는꽃처럼」이해인 샘터(샘터사)
2002년4월30일》

우리는 사소한 일에도 신경을 쓰면서 쓸데없이 마음고생을 하는 경우가 있습니다. 모든 일에 自己의 손을 거치지 않으면 안 되는 양 안달을 하면서 여러 사람을 피곤하게 만드는 사람이 바로 그런 부류의 사람이 아닌가 합니다. 우리는 그런 삶을 가리켜 '좁쌀영감'이라고 별칭을 하곤 하지만 어쩌면 그것이 남이 아닌 나를 칭하는 호칭인지도 모릅니다.

항상 모든 이가 자기의 눈높이가 되기를 강요하면서 거기에 미치지 못하면 책망을 하면서 못마땅해 하는 그런 사람들에겐 분명 '넓게 더 아름답게!'를 외쳐야만 하는데 그 사람이 바로 내가 아닌지 의구심이 들지 않을 수 없습니다.

내 잘못은 합리화 시키며 추호도 인정치 않고, 남의 잘못은 침소봉대(針小棒大)하며 무참히 짓밟으려하는 파렴치한이 있는데 그것이 바로 나의 참모습인지도 모릅니다.

그런 사람들은 분명 풍요로운 삶 속에서도 웃음을 잃어버리고 슬픈 인생으로 살아가는 부평초 같은 불쌍한 사람이리라.
우리 모두는 함께 더불어 살아가야 할 이웃이기에 이해인 님이 바라는 "넓게 더 아름답게!"를 힘차게 외치면서 동행해야만 합니다.

내가 가는 길을 나도 알 수가 없다

세계적인 베스트셀러 작가이자 연설가인 지그 지글러 (Zig Ziglar)가 비행기를 타려고 공항으로 가고 있었다

그런데 교통체증이 너무 심해 도로 한 복판에 갇히고 말았다 그는 매우 예민해졌고 비행기 출발 시간이 가까이 다가 오자 초조해지기 시작했다

"정말 중요한 강연인데 어쩌지?"이내 초조함은 공포심으로 變했다

예상대로 공항에 이르자 비행기는 이미 이륙한 뒤였다. 지그 지글러는 비행기를 놓치고 나서 분노했다. 순간 짜증도 났다

그런데 정작 비행기를 놓치고 나니 할 일이 없어졌다. 우두커니 공항 의자에 앉아 있을 뿐이다. 그렇게 얼마 간의 시간이 지나가자 불현 듯 '이렇게 바쁘게 살아서 뭐하나?

이리 뛰고 저리 뛰고 살아 온 지난 인생을 곰곰이 되짚어 보자. 이내 분노는 서서히 누그러졌다. 마음 속의 여유를 되찾은 그는 남는 시간을 휴가처럼 사용하기로 마음 먹었다

그리고 천천히 공항을 둘러보며 느긋하게 점심을 먹었다. '맛을 음미하며 즐기는 식사가 대체 얼마 만인가?' 식사를 마친 뒤 멋진 라운지 소파에 기대어 앉아 여유롭게 커피도 마셨다. 문득 사랑하는 가족들 생각이 떠올랐다.

휴대폰을 꺼내고는 가족 한 명 한 명과 통화를 나누었다. 아무 이유없이 가족들과 대화를 나눈 것이 까마득한 옛일 같았다. 그런데 놀랍게도 통화를 끝내자마자 공항에 설치된 TV 모니터에 갑자기 급보가 날아들기 시작했다. 방금 자신이 놓친 비행기가 막 추락했다는 다급한 소식이었다.

앵커가 말하기를 살아 남은 승객은 단 한 명도 없다고 했다. 그는 어안이 벙벙했다. '도대체 지금 나에게 무슨 일이 일어나고 있는 거지' 그는 뭔가를 깨닫고 있는 중이었다.

이 스토리의 주인공은 세계적인 베스트셀러작가이자 연설가인 지그 지글러(Zig Ziglar)는 말한다. "우리는 끝을 알 수 없습니다.이 사실을 아는 것만으로도 당신의 삶은 완전히 바뀔 수 있습니다 "

출처《https://joowoo2000.tistory.com/13759741》

행복과 불행을 파는 상점

우리가 늘 이용하는 「인생이라는 커다란 상점」.

그 상점에서 우리는 많은 것들을 사고팔고 합니다. 사랑과 희망, 평화와 행복, 질투와 미움, 증오와 원한 등등...

그 인생의 상점에는 두 명의 계산원이 서 있습니다. 한편에서는 '幸福' 이라는 커다란 팻말을 붙이고서 밝은 미소를 머금은 어여쁜 점원이 상냥하게 손님을 맞이하고, 또 다른 한편에서는 '不幸' 이라는 조그마한 팻말을 붙이고서 잔뜩 찡그린 얼굴의 아가씨가 손님을 대하고 있습니다. 같은 물건을 샀기에 어느 카운터로 가서 계산을 하든지 똑같은 값을 지불해야 하건만, 사람들은 어찌해서 더 자주 '不幸' 이라는 팻말을 붙인 계산대로 향하는 것일까요?

중요한 것은 똑같은 것을 소유해도 어느 사람은 '幸福' 이라는 팻말이 달린 곳으로 발걸음을 옮기고, 또 어떤 사람은 '不幸' 이라는 팻말이 달린 곳으로 서슴없이 가는 사람이 있다는 사실입니다. 우리가 결코 잊지 말아야 할 것은 '행복'과 '不幸'은 모두 같은 재료로 만들어진, 같은 포장으로 된, 같은 가격의 물건이라는 것을 말입니다. 그러나 한 가지 명심해야 할일은 돈을 치르고 난후 그 상품의 포장을 벗겨보기 전에는 그것이 결코 '행복' 인지 '불행' 인지를 모른다는 사실입니다.

출처《「더 소중한 사람에게」박성철 지원북클럽 2001년7월20일》

幸福과 不幸을 선택하는 것은 사람들 각자의 선택에 달려 있지만 그것의 파장에 의해 내가, 내 가정이, 내 직장이, 우리사회가, 우리나라가, 온 세계가 '나와 우리' 가 원하거나 바라지도 않은 엉뚱한 방향으로 흘러가게 된다는 사실을 깊이 깨달아야 합니다.

昨今에 우리 주위에서 꼬리를 물고 서슴없이 자행되고 있는 자살행위(自殺行爲)가 그렇고, 미국의 부시가 아프카니스탄의 탈레반과 이라크의 후세인과 벌인 전쟁 등이 그것을 잘 반증해주고 있지 않습니까? 이왕이면 다홍치마란 우리말 속담이 있습니다. 우리가 모두 '인생이라는 커다란 상점'에서 쇼핑을 하면서 같은 값이면 '불행'보다는 '행복'의 점원이 있는 곳으로 가야 되지 않습니까? 행복은 마음에 따르는 것, 모든 것을 다 소유해도 마음이 텅 비어있다면, 빈 곳간을 지키는 것처럼 불필요하고 어리석은 일입니다. 비록 가진 것은 별로 없지만 마음이 부자이면 행복하지만 반대로 많은 것을 갖고도 마음이 가난하면 不幸한 것 아닙니까?

지금 쇼핑을 하고서 어느 계산대로 가서 계산을 하시겠습니까? 어느 곳으로 향하시든 관계없습니다만, 이왕이면 다홍치마란 속담이 있다는 것을, 또 그 말이 지니는 뜻을 곱씹어 주시기를 ...

깡깡이 아지매

'깡깡이 아지매' 는 철로 만들어진
배의 노후를 방지하기 위해 2년여에 한 번씩 배 밑창이나 측면에 붙은 조개껍데기나 녹을 떨어내는 잡역부의 일을 하는 아낙들을 일컫는 말입니다.

무작정 도시로 나와 벌이를 하거나 6·25 전쟁으로 과부가 된 젊은 여성들이 이 일을 하게 되며 이렇게 일컬어지기 시작했습니다.

"부산에 가서 깡깡이 질이나 하여 보세" 란 노랫말이 전해지는 것으로 보아 부산 영도에서 처음 시작된 말인 것 같습니다.

제3 공화국의 조선 장려 정책으로 신조된 철강선이 늘어난 부산 영도에서 먹고살고, 자녀를 키우기 위해선 배와 관련된 일밖에 달리 일거리가 없는 상황이었습니다.

특히 교육을 받지 못한 여성이 대부분이라 배의 녹을 떨어내는 단순한 일밖에 할 수 없었습니다. 이들에겐 선택권이란 없었습니다. 그리고 노역의 대가로 받은 1960년대의 일당 1천 원은 간신히 생계를 유지할 정도밖에 되지 않았습니다.

360톤, 약 5M 높이의 선박 벽에 매달려 망치를 들고 온종일 '깡깡' 대며 뱃전의 철판을 계속 두드리는 깡깡이 아지매.

허술한 작업대에서 서서 맨손으로 작업을 하다 떨어져 치명상을 입기도 하고 잠시만 들어도 고막이 아플 정도의 소음을 돌돌 만 휴지로 겨우 귀를 막고 다시 깡깡이 질을 했던 그녀들. 그녀들이 억척스러운 깡깡이 아지매가 된 이유는 단 하나입니다. 바로 자식입니다.

본인은 가난해도 자식만큼은 번듯하게 키우고자 했던 마음은 매일 온몸이 부서질 것 같은 중노동도 5M 높이에서 작업하는 공포도 소음도 꺾을 수 없었던 것입니다.

누군가의 어머니였던 그녀들은 때론 그 모습이 너무 억척스럽게만 보였지만 자식이 부모가 된 후에 깨닫습니다.
그것이 사랑이고 헌신이었음을…

마치 자신의 눈물로 진주를 만드는 조개를 닮은 어머니라는 존재.
'여자는 약해도 어머니는 강하다.'
어쩌면 이 말은 변하지 않을 진리일지도 모릅니다.

* * *

할머니의 삶과 어머니의 삶을 되돌아보면 기쁨 즐거움보다는 노동에 대한 힘겨움과 고난의 삶이 생각납니다.

이렇게 삼시 세끼 먹으며 잘 지내는 것도 죄송할 정도로요.

당신들이 즐기지 못한 삶을 대신할 수 없지만
오늘 하루도 즐겁고 행복하게 지내는 것으로 감사함을 전하렵니다.

출처《https://blog.naver.com/green4092/223226728242》

내 소망 한 가지

내 소망 한 가지는 내 마음이 높아지는 것이 아니라 낮아지는 것입니다. 높아짐보다는 낮아질 때 마음이 따뜻해지기 때문입니다. 나는 날마다 마음이 낮아지는 노력을 할 것입니다. 내 소망 한 가지는 내 생각이 복잡해지는 것이 아니라 단순해지는 것입니다. 복잡할 때보다 단순해질 때 마음이 깊어지기 때문입니다. 나는 날마다 생각이 단순해지는 노력을 할 것입니다. 내 소망 한 가지는 내 마음이 부유해지기보다는 가난해지는 것입니다. 부유해질 때보다 가난해질 때 마음이 윤택해지기 때문입니다. 나는 날마다 마음을 비워 내는 노력을 할 것입니다. 내 소망 한 가지는 내 행동이 자랑할 것을 찾기보다 나의 부끄러움을 찾는 것입니다.
자랑하기 보다 부끄러워할 때 내 삶이 아름다워지기 때문입니다.

나는 날마다 내 부끄러움을 찾기 위해 努力할 것입니다. 내 소망 한 가지는 내 마음이 기쁨보다는 슬픔을 더 사랑할 줄 아는 것입니다. 기쁨은 즐거움만 주지만 슬픔은 나를 성숙시키기 때문입니다. 나는 날마다 슬픔을 더 사랑하도록 노력할 것입니다. 내 소망(所望) 한 가지는 내 行動이 나를 사랑하는 사람보다는 미워하는 사람을 위해 기도(祈禱)하는 것입니다. 나를 사랑하는 사람을 사랑하는 것은 쉽지만 미워하는 사람을 사랑하기는 힘들기 때문입니다. 나는 "사랑의 祈

禱" 보다 "용서의 祈禱"를 먼저 하도록 노력할 것입니다.

출처《www.joungul.co.kr>impression「가슴에 남는 느낌하나」》

험난한 길을 선택한 사람은 살아가면서 자신의 욕망을 버리는 일에 즐거움을 느낀다고 합니다.
그러나 평탄한 길을 선택한 사람은 살아가면서 자신의 욕망을 채우는 일에 즐거움을 느낀다고 합니다. 그래서 전자는 갈수록 마음이 너그러워지고, 후자는 갈수록 마음이 옹졸해져 남들이 기피(忌避)하는 사람이 된다고 합니다. '이왕이면 다홍치마'란 속담이 있듯 누구나 험난한 길을 피하고 평탄한 길을 선택하여 가고자 할 것입니다. 그러나 순탄하고 평탄한 길만을 고집하며 가게 되면 그 사람은 고난과 험난함을 이기고 난 후에 배가되는 성취감의 달콤한 맛이 있음을 전혀 모르게 됩니다. 지금 님의 삶이 너무나도 단조로운 평탄과 순탄함의 길이라면 한번 새로운 가치 창출을 위한 험난한 길에 도전을 해보는 것도 결코 바보스런 처사는 아니리라.

한 여름에 덥다고 나무 그늘에 가만히 앉아만 있다가 시원한 맥주 한잔을 마시는 것과 운동이나 일을 한바탕 하고 땀을 흘린 후 한잔 하는 것 중 어느 쪽이 더 시원한 맥주의 진미를 맛보게 될까요? 굳이 평탄한 길보다는 험난한 길을 택하려는 '내 소망 한 가지'가 주는 참 뜻을 깨닫고 실천(實踐)하는 우리가 되고 싶지 않으세요?

내 마음의 밝은 미소

삶이 아무리 힘들고 지칠 지라도
그 삶이 지칠줄 모르고 새오운 용기와 희망으로
끊임없이 샘솟아 나게 합니다.

일상 생활에서 힘이 들고 지칠째는
내 모든 것을 이해하고 감싸주시던 어머니의
따뜻한 기억들을 생각하고 그것을 마음에
담아보십시오
그리고
내 자신의 삶이 불안해질 때마다
아버지의 굳은 의지의 삶을 생각하며
온 가족에게 보여주셨던 믿음직한 웃음을
가슴에 담아 보십시오.
그러면 어느새 마음은 새로운 평화를 느끼고
든든함을 얻게 될 것입니다.

이처럼
가슴에서 순간, 순간 그리는 마음은
나를 사랑해 주시던 이들의 웃음으로 인해
새로운 빛과 용기를 일으키게 되므로
"밝은 미소" 는 생활의 여유로움을 가져다주는

삶의 샘물과도 같은 것이랍니다.
나에게 주어진 삶 중에서
나를 바라보녀 나의 못난 모습까지도
웃음으로 감싸 줄 수 있다면
그것은 분명히 나의 행복일 것이며
나 또한 나를 사랑하는 사람에게
함박 웃음으로 힘이 되고 싶은 마음이
무한정 일어날 것입니다.

그러나
"밝은 미소"를 가지려면
먼저 자신의 마음을 예쁘고 아름답게 해야합니다.
그럼 다음 나를 사랑해주는 사람에게 속삭여보세요
나는 당신을 진정으로 사랑한다고......

그리고는 또 말하세요
"당신의 밝은 웃음을 내 마음에 살포시 안았더니 당신의 심장이 나의 가슴에서 뛰네요"라고...

그러면 그이도 당신을 사랑할 것입니다.

-내 인생의 삶 중에서-

출처《https://happymessage.tistory.com/772》

고통도 되돌아보면 내 삶의 거울

인생을 살다 보면 참을 수 없을 만큼 힘들고 어려운 고통의 시기는 누구에게나 한 번뿐 찾아오기 마련이다. 어두운 터널 속에 갇혀 불빛 하나 찾지 못해 칠흑 같은 어둠과 싸울 때 나를 위해 누군가 어둠 속에서 힘이 되는 불을 환히 밝혀 준다면 세상은 진정 혼자가 아닌 누군가 나와 함께 공존하고 있다는 사실에 고통을 덜어 낼 수 있을 것이다. 그러나 때론 혼자 거친 비바람 속을 헤치고 앞으로 나아가야 할 때도 많은 것이 인생이다. 삶은 항상 우리가 알지 못하는 곳에서 어떤 형태로든 수시로 나타나 자기 자신을 힘든 고통의 수렁 속으로 몰아 넣을 수 있는 변수가 늘 작용하기 마련이다. 세월이 약이라 하였던가! 아무리 힘든 괴로움과 고통도 시간이 지나고 나면 별것 아닌 것처럼 느껴지게 마련이고, 그 고통으로 인해 한층 더 성장한 자기 자신을 돌아 보게 된다.

괴로움이 남기고 간 것을 맛보아라 고통도 지나고 나면 달콤한 것이다 -괴테-

\- 마음의 정원 중에서 -

출처《https://greenbsky.tistory.com/101》

나를 위한 자화상

꽃이 시들듯이
청춘이 늙듯이
인생의 단계도, 지혜도, 사랑도 모두 그때그때
꽃이 피는 것처럼 영속은 허락되지 않는다

삶의 외침을 들을 때마다 마음은
용감하게 슬퍼하지 않고
새로운 다른 속박을 받아
작별과 재출발의 각오를 해야만 한다

일의 시작에는 마력 같은 것이 깃들어 있다
그것은 우리들을 지키고 살아가는데 도움을 준다
우리들은 공간을 하나씩 명랑하게 뚫고 나가야 한다

어느 장소에도 고향을 마주한듯한 집착을 가져서는 안된다
우주의 정신은 우리를 속박하려 하지 않고 제한하지도 않으며
우리를 한 단계씩 높이려고 한다. 어느 생활권에다 뿌리를
내려 유쾌하게 살게 되면 탄력을 잃기 쉽다

출발과 여행의 각오가 되어 있는 사람만이

습관의 일상에서 벗어나게 될 것이다
임종의 순간에도 여전히 우리는 새로운 공간으로 향하여
건강하게 보내게 될지 모른다
우리들이 부르짖는 삶의 외침은 결코 끝나는 일이 없을 것이다

마음이여, 이별을 생각지 말고 건강하게 되어라!

- 헤르만 헤세 -

출처《https://leeys1385.tistory.com/2434》

섬김에 숨겨진 축복

일본의 어느 대학에서 있었던 일이다.
이곳에서는 영국, 독일, 프랑스, 한국, 일본, 미국 등
나라별로 화장실을 사용했는데,
중국인이 사용하는 화장실이 가장 더러웠다.

그래서 매주 실시하는 검사에서
중국인 화장실이 늘 지적을 당했다.
그런데 다음 해인 1907년이 되자,
놀랍게도 중국인 화장실이 제일 깨끗하였다.

어느 늦은 밤이었다.
총장이 학교를 둘러보게 되었는데,
어둠 속에서 불이 켜져 있는 방이 하나 있었다.
불이 켜진 방을 보면서 총장은
'늦은 밤까지 열심히 공부하는 학생이 있구나'
하고 생각했다.

잠시 후,
방문이 열리면서 한 학생이 대야에 걸레와 비누, 수건을 담아 중국인 화장실 쪽으로 가더니 열심히 청소하기 시작했다.

그 모습을 지켜보던 총장이 학생을 불렀다.

“학생!”
“예! 총장님.”
“학생이 매일 밤마다 청소하는가~?”
“예.”
“훌륭하네, 헌데 공부할 시간도
모자라는 학생이 어찌 청소까지 하나?”

“저는 중국인 신입생인데, 우리나라 화장실이
가장 더러워서 매일 청소를 하는 겁니다.
이 학교를 졸업할 때까지 하기로 결심을 했습니다.”

“자네 이름이 뭔가?”
“제 이름은 장개석입니다.”
“장개석이라…”

총장은 그의 이름을 수첩에 적었다.
그 일로 인해 장개석은 특별 장학금을 받으며
공부를 할 수 있었고 훗날 중국의 총통이 되었다.
장개석은 남이 제일 하기 싫어하는 화장실 청소를
통해 총통의 자리에까지 올랐다고 할 수 있다.

섬김은 사람의 마음을 얻고,

사람들을 따르게 하며,
존경을 낳기에 결국 성공의 자리에 이르게까지 한 것이다.

섬김에 숨겨진 축복 / 장개석 조만식

출처《https://blog.naver.com/》

출처《https://www.bing.com/images》

프라이드 치킨

프라이드 치킨(영어: fried chicken) 또는 서던 프라이드 치킨(영어: Southern fried chicken)은 미국 남부의 닭튀김 요리이다. 대한민국에서는 한국식 치킨과 마찬가지로 후라이드 치킨으로 불리기도 한다.

프라이드 치킨의 유래

기름에 식재료를 튀기는 조리법은 중세 유럽에 올리브유가 많이 생산되던 지중해 연안지역에서 여러 형태로 존재해왔다. 닭튀김 조리법 역시 재료의 보존을 위해서 또는 낮은 품질의 재료에 맛을 첨가하기 위해서 사용되었다. 특히 대항해시대를 열었던 포르투갈에서는 생선튀김 등 튀김 요리가 발달하였는데, 1441년부터 포르투갈이 본격적으로 아프리카 노예무역을 시작하면서 서아프리카 지역으로 튀김조리법이 전래되었다. 또한 튀김 조리법은 스코틀랜드로도 전래되었는데, 이는 1580년에 포르투갈을 병합한 스페인의 펠리페 2세가 이교도에 대한 탄압을 강화하자 종교의 자유를 위해 스코틀랜드로 이주한 유대인들에 의해 이루어졌다.

이것이 북미대륙에 식민지 개척을 위해 스코틀랜드인들이 이주하면서 미국 남부지역에 프라이드 치킨 조리법의 보편

적인 형태로 정착하였다. 17세기에 이주한 영국인과 스코틀랜드인들은 닭을 많이 가지고 대서양을 건너갔는데, 잉글랜드 이민자들은 닭을 오븐에 구워먹었으나 이와 달리, 스코틀랜드 이민자들는 닭튀김을 먹는 전통을 가지고 있었다. 서아프리카에서는 닭고기를 팜유에 튀긴 요리가 있었으며, 이 요리에 익숙했던 아프리카계 노예들이 스코틀랜드 이민자들의 가정의 요리사로 일하게 되면서 스코틀랜드와 아프리카 간의 닭튀김 요리가 조합되었다.

노예제가 합법이었던 당시 미국 남부의 농장에서 일하던 노예들이 유일하게 사육하거나 먹을 수 있었던 고기가 닭이었다. 농장주들이 닭을 잡아먹을 때 뼈가 많은 부위를 잘라내고 몸통을 오븐에 구워낸 '로스트 치킨'을 먹었고 노예들은 뼈가 많은 부위를 모아 뜨겁게 달군 돼지기름이나 면실유(목화씨 기름)에 넣어 튀겨내서 뼈째로 씹어 먹었으며, 이것이 '딥 프라이드 치킨(Deep Fried chicken)'으로 오늘날 프라이드 치킨의 유래로 보고 있다. 이후, 아프리카계의 가정부들에 의해 전파되면서 오늘날의 프라이드 치킨으로 발전되었다.

문헌상에 레시피가 처음으로 등장한 것은 1824년 메리 랜돌프(Mary Randolf)가 쓴『버지니아 주부』(The Virginia House-wife)라는 요리책이다. 이 책에는 닭에 소금 간을 한 밀가루를 입혀 15~20분간 튀긴 후, 무시 튀김(fried mush ,옥

수숫 가루와 버터를 섞어 만든 반죽을 튀긴 것)을 곁들이고 파슬리(parsley)를 튀겨 장식해 낸다고 적혀 있다.

냉장 시설이 발달하기 전, 프라이드 치킨은 미국 남부의 더운 날씨에도 오랫동안 보관할 수 있는 음식이었기 때문에 미국 남부에서 더욱 선호하는 메뉴가 되었고 남북 전쟁이 끝난 이후, 프라이드 치킨은 미국 남부의 유럽계와 아프리카계 모두의 인기를 끌었으며, 특히 그레이비를 곁들인 프라이드 치킨은 어른보다 어린이가 더 좋아한다. 일요일 저녁식사(Sunday dinner)의 가장 인기있는 메뉴로 굳어졌다.

출처《https://ko.wikipedia.org/wiki/%ED%94%84%EB%9D%BC%EC%9D%B4%EB%93%9C_%EC%B9%98%ED%82%A8》

못과 망치의 교훈

걸핏하면 성질을 부리는 소년이 있었다.

어느 날 아버지께서
못이 담긴 상자와 망치를
건네주시면서 말씀하셨다.

"화를 낼 때마다 울타리에 못을 하나씩 박아라"

첫날 37개의 못을 박았다.
이후에도 많은 못을 박으면서 분노를 자제하는 법을 익혀갔다.

그렇게 점차 못을 박는 것보다 화를 참는 것이 더 쉽다는 걸 깨달았다.

못의 숫자가 점차 줄어들었다.
마침내, 하루에 한 번도 화를 내지 않는 날이 왔다.

아버지께 달려가 말씀드렸다.
아버지께서도 함께 기뻐해 주셨다.

그러시면서 앞으로는 화를 참을 때마다
못을 하나씩 뽑아보라고 하셨다.

얼마 후 울타리에 박혀 있던 못들이 하나도 남지 않게 됐다.
뛸 듯이 기뻤다.

아버지께서도 축하해주시며
"자랑스러운 내 아들"이라고 칭찬해주셨다.

울타리 앞으로 가보자고 하셨다.
그리고는 말씀하셨다.

"정말 잘했다.
하지만 저 울타리에 못이 박혔던 구멍들을 봐라
저 구멍들은 영원히 남게 될 거다.

못은 너의 성마른 성격이고, 울타리는 다른 사람 마음이다.

네가 화를 내며 하는 말은
저렇게 상처를 남기게 되는 거다.

미안하다면서 못은 뽑아낼 수 있지만,
그 상처 구멍은 평생 남게 되는 거란다."

소년은 그제야 아버지께서
울타리에 못을 박고 빼보라고 하신 이유를 깨닫고,
그 교훈을 몇 번이고 되새겨봤다.

" 가족과 친구는 네 옆에 있어 진귀한 보석 같은 존재란다.

그런 그들에게 성질을 부리고 막말을 해서 쫓아버리면
네 인생은 빛을 잃게 된단다.

화가 나서 하는 말 한마디가
신체적 폭력보다 더 큰 상처와 고통을 남길 수 있단다
꼭! 명심하거라…"

- 좋은글 중에서 -

출처《https://m.blog.naver.com/hlqaa/223150891505/》

어려운 일에 마주쳐도 슬기롭게 잘 처리하며 스스로 행복함을 만들어가는 즐거운 날 보내시길 응원합니다.

불평 끝에 결국 남은 것은 ?

두 마리의 강아지가 고기 한 덩어리를 놓고 서로 더 많이 먹겠다고 싸움을 벌이고 있었습니다.

마침 꾀 많은 원숭이가 이 광경을 목격하고 참견했습니다.

"내가 공평하게 나눠주는 건 어때?"

강아지들은 좋은 생각이라며
원숭이에게 고깃덩어리를 가져다주었고 원숭이는 일부러 한 덩어리는 작게, 한 덩어리는 크게 나누었습니다.

작은 것을 받은 강아지는 자기 것이 훨씬 작다고 불평을 터뜨렸습니다.

그러자 원숭이는 큰 쪽을 다시 받아서 들고는 한 조각을 베어 먹었습니다.

"자 이러면 둘이 똑같지?"

그런데 이번에는 다른 강아지가
원숭이가 한 입을 베어 먹은 부분 때문에 자신의 고기가 더 작다며 불평했습니다.

원숭이는 또 다른 고깃덩어리를
한 입 베어 먹었습니다.

이렇게 몇 번을 계속하고 나니
남은 것은 작은 고기 한 점이었습니다.

그제야 강아지들은 자신들의 싸움을 후회했습니다.

항상 불평하는 사람은
감사할 일에도 작은 불평을 하고
항상 감사하는 사람은 불평할 일도 감사합니다.

불평은 스스로를 늘 억울하고 화나는
'상황의 피해자'로 만듭니다.
그 때문에 늘 되는 일이 없이 느껴지고 불행하게 느껴집니다.

그러나 이 악순환은 선택할 수 있는데
바로 불평이 아닌 감사를 선택하는 것입니다.

세상을 바라보는 태도를 불평에서 감사로 바꿔보세요.
너무 멋진 인생이 되지 않을까요?

출처《https://m.blog.naver.com/kidrace/223288914137》

나란히 함께 간다는 것

「나란히 함께 간다」는 것은 ?
길은 혼자서 가는 게 아니라는 뜻이다. 멀고 험한 길일수록 둘이서 함께 가야 한다는 뜻이다. 철길은 왜 나란히 가는가? 함께 길을 가게 될 때에는 대등하고 평등한 관계를 어느 한 쪽으로 기울지 말고, 높낮이를 따지지 말고 가라는 뜻이다.

철길은 왜 서로 닿지 못하는 거리를 두면서 가는가?
사랑한다는 것은 둘이 만나 하나가 되는 것이지만, 하나가 되기 위해서는 둘 사이에 알맞은 거리가 필요하다는 뜻이다.

서로 등을 돌린 뒤에 생긴 모난 거리가 아니라, 서로 그리워하는 둥근 거리를 이르는 말이다.

철길을 따라가 보라. 철길은 절대로 90도 각도로 방향을 꺾지 않는다.
앞과 뒤, 왼쪽과 오른쪽을 다 둘러본 뒤에 천천히, 둥글게, 커다랗게 원을 그리며 커브를 돈다.

이 세상의 모든 것들도 그렇게 철길을 닮아 갔으면 좋으련만....

출처《안도현「아침엽서」 늘푸른 소나무 2002.12.10 》

두 레일 위에서 평행을 이루며 달리는 기차는 레일이 하나가 되는 지점을 향하여 어제도, 오늘도, 내일도 끊임없이 달리고 있지만 안타깝게도 그 뜻을 실현치 못하고 있습니다.

그러나 기차가 레일이 하나로 합쳐지는 지점에 이르게 되면 탈선이 되어 기차의 기능은 곧 정지하게 되죠!
그래서 둘 사이에 알맞은 거리를 두고 전진, 또 전진을 하고 있는 것입니다.

선생(先生)이라는 레일과 학생(學生)이라는 두 레일 위를 달리고 있는 학교(學校)라는 기차도 발전(發展)이라는 곳을 향해 어제와 오늘, 내일도 쉼 없이 달리고 있습니다.

그런데 따끔한 말로 올바른 교육(教育)을 하고자 하면 학생을 학대한다고 법(法)에 고발하기가 일쑤이니 선생이 학생들의 눈치를 살피며 교육을 하니 그 결과가 어떠하리라는 것은 뻔한 일 아닙니까?

아이들이 무서워 더 이상 선생 노릇 못하겠다고 사직서(辭職書)를 제출하고 다른 일을 찾는 선생님들도 있다니 안타깝습니다.

두 레일이 평행(平行)을 이뤄야만 정상의 운행이 되련만...

주도(酒道)의 18단계

속인(俗人)의 술은 홍(興)을 돋우고 몸을 상하게 하며, 군자(君子)의 술은 기를 기르지만 마음을 상하게 하지만, 도인(道人)의 술은 홍과 기를 함께 하여 몸과 마음을 이롭게 한다. 군자는 주도를 논하기를, 강하면 몸을 상하고 유하면 마음을 상하니 강(强)과 유(柔)를 조화하여 그 묘(妙)를 얻지 못하면 주도에 통달할 수 없다 하였다.

또 이르기를, 범인(凡人)이 술을 마시면 그 성품이 드러나지만, 도인이 술을 마시면 천하가 평화롭다 하였다. 술의 첫째 잔은 禮요, 둘째 잔은 情이며, 셋째 잔은 사교(社交)로 가하니 사람을 사귐에 있어서 천하에 술을 따를 만한 것이 없다 하였다.

술에 취해 마음을 잃는 자는 신용이 없으며, 우는 자는 仁이 없는 자고, 화내는 자는 의롭지 못하며, 소란한 자는 예의가 없고, 따지는 자는 지혜가 없는 것이다 하였다.

당대의 주선(酒仙)으로 이름을 드높인 청록파 시인 조지훈(1920.12.3.~1968.5.17향년47세)님께서 주당을 아래의 18단계로 등급을 매기고 사람들을 평가했다고 합니다.

1.불주 (不酒): 술을 아주 못 먹지는 않으나 안 먹는 사람.
2.외주 (畏酒): 술을 마시긴 마시나 겁내는 사람.

3.민주 (憫酒): 마실줄도 알고 겁내지도 않으나, 취하는 것을 민망하게 여기는 사람.
4.은주 (隱酒): 마실줄도 알고 겁내지도 않으며 취할 줄도 알지만, 돈이 아까워서 혼자 마시는 사람.
5.상주 (商酒): 마실줄도 알고 좋아도 하면서 무슨 잇속이 있을 때만 술을 마시는 사람.
6.색주 (色酒): 성생활을 위해서 술을 마시는 사람.
7.수주 (睡酒): 잠이 안 와서 술을 마시는 사람.
8.반주 (飯酒): 식욕을 돋우기 위해 술을 마시는 사람.
9.학주 (學酒): 술의 참 맛을 배우는 사람. 주졸(酒卒)-초급
10.애주 (愛酒): 술을 취미로 맛보는 사람. 주도(酒徒)-1단
11.기주 (嗜酒): 술의 미에 반한 사람. 주객(酒客)-2단
12.탐주 (耽酒): 술의 진경을 체득한 사람. 주호(酒豪)-3단
13.폭주 (暴酒): 주도를 수련하는 사람. 주광(酒狂)-4단
14.장주 (長酒): 주도 삼매에 든 사람. 주선(酒仙)-5단
15.석주 (惜酒): 술을 아끼고 인정을 아끼는 사람. 주현(酒賢)-6단
16.낙주 (樂酒): 마셔도 그만, 안 마셔도 그만, 술과 더불어 유유자적하는 사람. 주성(酒聖)-7단
17.관주 (關酒): 술을 보고 즐거워하되 이미 마실 수 없는 사람. 주종(酒宗)-8단
18.폐주 (廢酒): 술로 인해 다른 세상으로 떠나게 된 사람. -9단

출처《aligalsa.tstory.com 2011.7.28. 조지훈의「주도(酒道)의 18단계」》

님이시여, 도인과 같이 천하를 평화롭게 하기 위해 주~욱

한잔을, 또한 좋은 사람을 사귀기 위해 석잔을 마시되 '4.隱酒나 5.商酒'이거나 17.鬪酒나 18.廢酒의 주인공은 절대로 되지 마시와요!

젊어선 객기로 많은 양을 마시는 것을 자랑으로 여긴다지만, 그 누구라서 장하거나 용감하다고 박수쳐 주는 놈은 없죠. 한사코 마시기 싫다는 사람을 붙들어 놓고 강제로 퍼 먹이고서 키득키득 웃어대는 사람, 그런 년놈들 미쳐도 한참 미친 자들이죠?

남에게 강제로 술을 먹이는 일은 칼과 같이 가시적이지는 않지만 안 보이는 흉기로 상대의 목숨을 위협하는 처사라고 생각됩니다만...

술을 마실 줄 아는 사람에겐 먹고 싶은 판에 술을 사주니 그보다 더한 기쁨이 있을 수 없지만, 그렇지 못한 사람에겐 역겨운 고역이 아닐 수 없습니다.

술을 먹다가 습관적으로 36계를 놓는 것은 주도를 크게 벗어나는 일이라서 권(勸)할 것이 못되지만, 어쩌다가 불가불 망도(忘道)를 하는 경우엔 애교로써 봐주어야 되지 않겠습니까?

알맞게 마시면 약주(藥酒)지만, 정도를 지나치면 독주(毒酒)가 된다 함을 결코 잊지 마시기 바랍니다.

거짓말도 삶의 범위 중심으로(유머)

- 간호사: 이 주사 하나도 안 아파요.
- 개주인: 우리 개는 물지 않아요.
- 장학생: 어휴, 이번 시험 완전히 망쳤어!
- 정치가:만난적도 없고, 단 한 푼도 받지 않았습니다.
- 의사: 조금 늦게 왔으면 큰일 날뻔 했습니다.
- A/S기사: 이런 고장은 처음 봅니다.
- 웨딩사진사: 내가 본 신부 중에서 제일 예쁜데요 .
- 직장인: 예 다 되어갑니다
- 음식점 주인: 주문하신 음식배달, 방금 출발했습니다.
- 학원: 전국 최고 합격률
- 옷가게 주인: 언니에게 딱이네요. 맞춤복 같아요
- 상점주인: 이거 손해보고 드리는 것입니다.
- 수석합격생:

  잠은 충분히 자고, 교과서 중심으로 학교 공부만 충실히 했습니다.
- 교인(예배 시간 내내 꾸벅이곤):

  오늘 예배에 은혜 많이 받았습니다.
- 학부모: 우리 애가 무척 순진해요.
- 선생님: 아드님이 머리는 좋은데 노력을 안 해요.
- 교장 선생님: 끝으로 한 말씀드리겠습니다.
- 사장: 우리회사는 여러분들의 것입니다.

지각을 밥 먹듯이 하는 학생이 또 지각을 하였다. 매일 그럴듯하게 지각의 사유를 둘러대던 그가 오늘도 지각의 이유를 묻는 담임에게,

"선생님, 제가 전철을 타고 오는데 그만 도중에서 바퀴가 빵구나는 바람에... 헤..헤! "

듣는 사람으로 하여금 황당케 하는 거짓말에 급우들이 웃지 않을 수 없지요. 이쯤 되면 부처님 가운데 토막같이 좋으신 담임선생님일지라도 흥분하여 팔을 걷어붙이고 싸대기를 올리지 않을 수 없는 상황이지요.

어느 깊은 강에 정치인, 목사님, 스님 등 세 사람이 빠져서 살려달라고 고함을 지르며 허우적대고 있었습니다. 때마침 그곳을 지나던 수녀가 있었습니다. 그녀는 황급히 달려가 긴 막대를 하나 구해와 누구를 먼저 구해줄까 하고 망설이다가 무슨 생각을 하고선 정치인에게 막대를 뻗쳐 먼저 구해주었습니다. 수녀가 정치인을 제일 먼저 꺼내준 것은 물의 오염(汚染)을 방지하려는 의도였다고 합니다. 수녀의 생각에 거짓을 식은 죽 먹듯이 하는 정치인이 가장 더러우니까 물의 오염을 우려하는 애국 충정에서... 물론 웃기기 위해 만들어진 유머이리라. 어쨌든 거짓말은 사람의 품위를 떨어뜨리는 추악한 행위임에 분명합니다. 우리는 양심 바른 교양인, 거짓말을 멀리하는 그런 교양인이 되자고요.

출처《blog.naver.com>chan5906》,《web.humoruniv.com>board》

민들레의 아홉 가지 덕(九德)

옛날 선비들은 민들레를 서당의 뜰에 심어 놓고 아홉 가지 덕목(德目)을 배웠다고 합니다.

1. 인덕(忍德) :
   아무리 짓밟혀도 죽지 않고 살아나가는 끈질긴 생명력

2. 강덕(剛德) :
   뿌리를 자르거나 뿌리가 뽑혀 마른 뿌리도 땅에 심고 기다리면 새싹이 돋아나는 것을 보고 역경을 극복할 수 있는 강한 의지

3. 예덕(禮德) :
   잎이 나는 순서(順序)에 따라 꽃대가 나와 꽃이 피는 것을 보고 예(禮)의 덕, 순서의 미덕(美德)

4. 용덕(用德) :
   무치거나 김치를 담아 먹고 각종 약(藥)으로도 유용하게 쓰이는 것을 보면서 쓸모 있는 삶

5. 인정(人情)의 덕(德) :
   민들레 꽃에는 꿀이 많아 벌과 나비가 찾아오면 꿀을

함께 나누어 주는 나눔의 미덕(美德)

6. 자애(慈愛)의 덕(德) :
민들레의 잎이나 줄기에 상처가 나면 젖과 같이 하얀 빛의 물이 나오는 것을 보고 어머니의 사랑과 같은 자애스러움

7. 효덕(孝德):
민들레가 흰머리를 검게 해주는 회춘(回春)의 약재로 쓰이는 것

8. 인술(仁術)의 덕(德) :
민들레즙을 내어 종기를 치료하며 아픈 사람의 병을 낫게 함

9. 자립(自立)의 덕(德) :
씨앗이 낙하산처럼 바람을 타고 멀리 낯선 곳에 가더라도, 잘 적응하고 자라는 것-자립정신-자수성가의 의지.

출처《www.e-lifenews.com》

변화의 Vision을 먼저 보라

꿈이 있으면 절망에서 탈출할 수 있음을 불우한 자기 삶의 경험으로 입증한 사람이 있습니다. 베스트셀러 인 『그러니까 당신도 살아』의 저자 오히라 미쓰요(大平光代 37세) 변호사가 바로 그 주인공입니다.

오히라씨는 여중 2학년 때 왕따를 당해 할복자살을 기도했고, 그 후 마약과 혼숙을 일삼는 비행(非行)소녀로 전락했다. 16세 때에는 야쿠자 보스와 결혼한 뒤 호스티스로 전전하던 그녀는 23세 때 양아버지 오히라 히로사부로를 만나 새 삶을 결심하고 공부에 매진, 사법고시에 합격하여 오늘에 이른 것입니다.

그녀가 2001년 5월 방한하여 경기도 의왕시 소년원의 수감생들을 대상으로 강연을 했는데 “중 2학년 때 할복자살을 기도해 지금도 맹장과 창자에 상처가 있다.”

“여러분도 이곳이 마지막 나락이 아니라 새로운 목표를 세울 수 있는 ‘꿈공장’ 이라고 생각하라.“ “나를 절망의 수렁에서 건져 준 것 역시 목표 “ “나를 왕따 시켰던 사람들에게 번듯하게 잘 사는 모습을 보여주기 위해 이를 악물었다.”

“여러분이 쓰러진 것은 주변의 탓일 수도 있지만 다시 일어나지 못하는 것은 여러분 자신의 책임. “ 등등의 말을 하여 기립박수의 열렬한 환영을 받았다고 합니다. 비록 그녀는 어려운 상황의 현실일지라도 꿈을 가지고 변화된 내일에의

vision을 먼저 보았고 재기했던 것입니다.

그래서 Goethe(독일, 1749.8.28.~1832.3.22.)는
“사람은 무덤 앞까지 갈지라도 희망(꿈)을 포기하지 말라.
“고 권면(勸勉) 했었는가 봅니다.

출처《「그러니까 당신도 살아」저자 오히라미쓰요 출판북
하우스 역자 김인경 2010.9.20. 》

아름다운 꿈은 생명의 약

인간은 꿈을 잃을 때 건강을 잃어 가는 것이다. 인간은 꿈을 잃을 때 늙어 가는 것이다.

꿈이야말로 인간 생명의 원기(原基)이며 그 사는 Energy인 것이다. 그 동력인 것이다. 꿈이 있는 인간은 부지런해진다. 쉴 사이가 없는 것이다. 할 일이 많은 것이다. 인간의 수명에는 한도가 있기 때문이다. 일정한 시간을 살다가 죽어서 다른 곳으로 떠나야 하기 때문이다. 인간은 이렇게 누구나 자기에게 배당된 시간을 살다가는 보이는 이 세상에서 보이지 않는 저 세상으로 떠나야만 하는 것이다. 그 잠깐 동안을 인생이라는 장소에서 머물고 있는 것이다.

머무는 동안 병도 들고, 고민도 하고, 울기도 하고, 아웅거리기도 하고, 돈을 벌려고 애쓰기도 하고, 미워하기도 하고 싸우기도 하고, 실로 욕망과 좌절과 고독과 성취와 그 희비애락, 그 인생을 사는 것이다.

건강(健康)과 장생(長生) 이것을 이 시궁창 속에서 건져내려면, 먼저 그 시궁창을 만들어 내는 그 욕망과, 그 허영, 그 허욕, 과도한 자기 과정에서 벗어나야만 하는 것이다.

오로지 순결한 꿈을 간직하면서 그 순결한 인생의 길을 찾아서 걸어야 하는 것이다.

출처《조병화 산문집「아름다운 꿈은 생명의 약」》

주지하는 바와 같이 님은 2003년3월8일에 작고하셨습니다. 님께서 생존해 계셨을 때와는 다르게 글의 분위기와 느낌이 달라짐은 저만의 편협한 정감 일런지(?) 때늦었지만 삼가 고인의 명복을 빕니다.

아무리 삶이 우리를 속인다 할지라도 우리가 지니고 있는 아름다운 꿈은 항상 흐트러진 우리의 마음을 재정비, 내일로 향하는 이정표 구실을 합니다. 우리의 삶 속에서 꿈이란 현재에 존재하는 것이 아니라 미래라는 시간 속에서 우리를 인도하는 등대와도 같습니다. 꿈이란 매우 소중(所重)한 것입니다.

그런데 그 꿈을 잃거나 버리는 사람이 있습니다. 그렇다면 그는 병이 들었거나 늙었거나 삶을 포기한 사람입니다.

그에게서는 내일에 대한 희망을 바랄 수 없기 때문입니다. 꿈이 실현될 수 있다고 믿으며 최선을 다하는 사람에게서만 꿈이 분명하게 이루어집니다.

그 꿈이 작든, 크든 간에 그 꿈이 이루어지는 그 순간(瞬間)부터 행복(幸福)이 옵니다. 꿈은 허상이 아닙니다. Vision ! 곧 보이는 것입니다. 더 아름다운 세상, 더 멋진 내일(來日)을 바라보며 전진하는 우리가 되자고요 ! .

공덕천(功德天)과 흑암녀(黑暗女)

옛날 궁궐 같은 집을 짓고 사는 부잣집에 하늘에서 금방 내려 온 선녀같이 젊고 아름다운 여인이 온몸에 진주, 보석들을 치장하고 찾아왔다.

미모와 향기에 취한 주인이 물었다.

"당신은 누구신지요?" "저는 공덕천입니다."

주인이 다시 물었다. "당신은 왜 우리 집에 왔나요?"

공덕천은 말했다. "나는 이 세상의 모든 복과 행운들을 모두 모아 당신의 집에 깃들게 하고자 찾아온 천사입니다."

주인은 기뻐서 어쩔 줄 몰라 했다. "그래요 어서 안으로 들어갑시다." 주인은 진수성찬으로 대접하며 들떠 있었다.

바로 그때

문을 두드리는 소리가 들렸다.

주인은 기쁜 마음으로 대문으로 나갔더니 거기에는

때가 잔득 끼고 더러운 넝마를 걸치고,

얼굴은 새까맣고 밉상인데다

주근깨, 기미까지 낀 작은 여자가 서 있었다.

불쾌해진 주인은 얼굴을 찡그리며 당장에

그 여자를 물리쳐 버리려고 했다.

"당신은 누구시요?" "저는 흑암녀라는 여자입니다."

"도대체 우리 집에는 왜 온 것이요?" "저는 당신 집으로

수없이 많은 불행과 불화, 재앙과 질병, 가난과 나쁜 운수를

깃들게 하러 온 여신입니다.“ 듣고 주인은 버럭 화를 내면서 내쫓았다. 그러나 흑암녀는 주근깨 가득한 얼굴로 까만 눈은 초롱초롱 빛내면서 이렇게 말했다. “나가라고 하면 나가겠습니다. 그러나 지금 당신 집 안에 들어와 있는 공덕천이란 여인이 나와 쌍둥이 형제인데 우리 둘은 보이지 않는 끈이 달려있어서 어디를 가든지 함께 다닐 수밖에 없습니다. 떨어져서는 절대 못 사는 운명이니 내가 쫓겨난다면 언니도 나를 따라 나올 것이고, 언니가 집에 있는 한 나도 따라 집에 있게 될 것입니다.“

이 말을 듣고 주인이 공덕천을 바라보니 공덕천은 미소를 지으며 고개를 끄덕이고 있었다.

언제나 공덕천과 흑암녀는 함께 다닌다. 선과 악은 언제나 서로를 인연으로 생겨난다.

동전의 앞면만 있을 수는 없다. 앞면은 언제나 뒷면과 함께 생겨나고 함께 사라진다. 선한 사람은 약한 사람을 인연으로 선한 사람이 될 뿐이다. 크다는 것은 작은 것을 인연으로 큰 것이다. 이 모두가 인연이고, 인연은 언제나 동시생이고 동시멸이다.

대소, 장단, 선악, 생멸, 행복과 불행 등은 언제나 서로를 비추어 주는 거울이다. 언제나 다른 것을 인연으로 인해서 생겨나는 것이기에 둘이 아닌 하나이다.

그러니 좋은 것만 취하려고 애쓰거나, 싫은 것은 버리려 애쓰지 말라. 그 2가지는 사실 하나다.

좋은 것이든 싫은 것이든 있는 그대로, 오는 대로 내버려두라. 있는 그대로 받아들이고 허용해 주라. 좋은 건 취하고 싫은 건 버리는 2가지 양변의 취사선택을 놓아버리면,비로소 중도의 실천이 열린다. 받아들임이 始作된다.

출처《「불교 경전과 마음공부」무한 법상 2017.3.6》

행복의 정의

행복에 대해서는 서은국 교수의 저서에 나온 글로 대신하고자 합니다.

저자 서은국 교수는 세계에서 대표적인 행복 심리학자라고 합니다. 저자는 행복에 대한 관심이 고조되면서 그간 행복에 대한 희망을 가슴으로 호소하는 책은 많지만 냉정한 분석에 기반을 둔 차가운 책을 많지 않다고 서문에서 밝히고 있습니다.

저자는 행복을 소재로 하는 다른 책들과 3가지 부분에서 차별을 둔다고 합니다. 행복에 대해 how가 아니라 **why** 라는 표현을 사용한다는 것입니다. 그리고 행복의 이성적인 면보다 본능적이고 동물적인 면에 더 관심을 두었고 마지막으로 행복에 대한 통상적인 사고의 틀에서 벗어나고자 했다고 밝혔습니다. 책의 구성은 9개의 chapter로 되어 있습니다.

chapter 1. 행복은 생각인가

저자는, **'행복'** 은 본질적으로 **감정의 경험**인데 마치 머리에서 만들어내는 일종의 생각 혹은 가치라는 착각이 들게 한다면서 행복은 본질적으로 생각이 아님에도 불구하고 자꾸만 생각을 고치라고 조언하고 있다고 주장합니다. 우리는 생각하는 모습을 인간의 대표적 특성으로 꼽는데 가장 큰 이유는 "사람은 자신의 경험 중 의식적으로 생각하는 부분만을 볼 수 있기 때문이다"라고 밝힙니다. 행복감도 뇌에서 합성된 경험이다.

chapter 2. 인간은 100% 동물이다

삶은 경쟁의 연속이며 이런 일상의 경쟁들은 자연의 경쟁앞에서는 시시해집니다. 자연의 생존 경쟁은 말 그대로 생명을 건 싸움이라고 저자는 말합니다. 뇌는 살벌한 생존경쟁에서 살아남은 조상들이 우리에게 물려준 일종의 '생존 지침서'라고 합니다. 인간은 지능이 높을 뿐 타조나 숭어와 본질적으로 다르지 않은 **100% 동물**임을 확신하게 되었다면서 인간이란 동물은 왜 행복을 느끼는 것일까? 라는 질문에 생각을 정리한다고 밝혔습니다.

chapter 3. 다윈과 아리스토텔레스, 그리고 행복

아리스토텔레스는 목적론적 사고의 원조인데 "행복은 최고의 선이 되는 것이다"라고 말했습니다. 하지만 이 생각은 한 철학자의 개인적 견해일 뿐, 과학적으로 증명된 사실이 아님을 강조할 필요가 있다고 저자는 말합니다. 그리고 아리스토텔레스의 생각이 '도덕책 버전'의 행복론이었다면 **다**

윈의 진화론에 근거한 '과학책 버전'의 행복을 이 책을 통해서 찾으려 한다고 밝혔습니다.

chapter 4. 동전탐지기로 찾는 행복

저자는 지금까지 심리학은 how에 대한 질문의 해답은 제공했지만 why라는 질문을 자주 던지지 않았다고 말하면서 이는 심리학에 진화론적 관점이 확산되면서 일어난 현상이라 밝혔습니다. 왜 인간은 행복을 느끼는가? 라는 질줌에 대한 해답이 이 책의 핵심 내용이라고 말하고 있습니다. 그리고 "인간은 행복해지기 위해 태어난 것이 아니라 생존을 위해 만들어진 동물이다"라고 주장합니다. "행복감을 인간이 왜 느낄까?"라는 질문에 해답은 "생존, 그리고 번식"이라고 말하는 저자. 그리고 "행복은 삶의 최종적인 이유도 목적도 아니고 다만 생존을 위해 절대적으로 필요한 정신적 도구일 뿐이다." 라고 강변합니다.

chapter 5. 결국은 사람이다

저자는 인간의 본성에 대해, "사회성은 인간의 생사를 좌우하는 가장 독보적인 특성이다"라고 말합니다. 행복을 찾는 인간은 누구인가를 생각해볼 필요가 있다면서 인간은 동물이며 다른 동물과 마찬가지로 살아가는 궁극적인 이유는 '생존과 짝짓기' 라는 두가지 이유라고 천명합니다. 사람이라는 동물은 극도로 사회적이며, 이 사회성 덕분에 놀라운 생존력을 갖게 되었다면서 **” 행복은 사회적 동물에게 필요했던 생존 장치** “라고 강조합니다.

chapter 6. 행복은 아이스크림이다

행복은 무엇을 가진 자와 못 가진 자의 차이일까? 라는 화두를 던지고 저자는 “많이 갖는 것이 행복은 아니다” 라는 연구는 끝없이 많다고 말합니다. “부유해질수록 돈으로 행복을 사는 것은 점점 어려워진다” 는 이스털린의 역설을 설명하면서 빈곤을 벗어난 사회에서 돈은 더 이상 행복의 키워드가 아니라고 강조합니다. 행복은 소유라는 생각이 틀렸다면서 불행하지 않은 것과 행복한 것의 질적인 차이를 구분해야 한다고 말하고 불행의 감소와 행복의 증가는 서로 다른 별개의 현상이라고 주장합니다. 그래서 행복은 ‘한방’ 으로 해결되는 것이 아니고 한 번의 커다란 기쁨보다 **작은 기쁨을 여러 번 느끼는 것**이 절대적이라고 말하고 있습니다.

chapter 7. ‘사람쟁이’ 성격

행복의 원인 중 사람들이 가장 과대평가하는 것이 돈과 같은 외적 조건이라고 말하는 저자. 행복에 대해 절대적인 영향을 미친 것에 대해 대다수 연구의 결론이 “유전과 외향성" 이라면서 행복과 유전의 관계는 학계의 정설이라고 말합니다. 행복은 상당 부분 성격(외향성)과 관련있으며 외향적인 사람들이 타인을 찾는 본질적 이유가 자극 추구라는 흥미로운 설명도 있다면서 외향성은 한마디로 **'사람쟁이' 성격**이고 행복의 고리는 매우 단단하다고 강조합니다. 여기서 외향적일수록 행복하다는 결론이 내려집니다.

chapter 8. 한국인의 행복

행복연구에서 문화의 중요성을 나타내는 대표적 국가가 한국과 일본입니다. 높은 경제수준에 비해 행복도는 낮기 때문입니다. 아울러 싱가포르 역시 정서가 메마른 국가로 나타났습니다. 학자들이 문화를 이해하는데 사용하는 개념으로 개인주의와 집단주의가 있는데 한국, 일본, 싱가포르는 집단주의 성향의 국가입니다. 이와 관련하여 저자는 행복감을 예측하는 가장 중요한 문화적 특성은 개인주의라면서 소득 수준이 높은 북미나 유럽 국가들의 행복감이 높은 이유는 돈 때문이 아니라 **개인주의적 문화** 덕분이라고 강조합니다.

한국인의 집단주의적 문화 특성은 응집력과 추진력이 있으나 수직적 문화에서 긴장과 피로가 수반되고 있다고 말합니다. 여기서 모순이라고 볼 수 있는 것이, 사람에 묻혀 사는 집단주의 문화로서 대한민국이 행복하지 않은 이유가 있는데, 획일적인 사고는 행복에 큰 타격을 준다면서 개인의 자유감을 저하시키고 행복에 부정적 영향을 줄 수 있다고 말합니다. 과도한 타인 의식은 집단주의 문화의 행복감을 낮춘다면서 내 삶의 주인이 타인이 아닌 **나 자신**이 되어야 한다고 강조합니다.

chapter 9. 오컴의 날로 행복을 베다

오컴의 면도날은 어떤 현상을 설명할 때 필요 이상의 가정과 개념들은 면도날로 베어낼 필요가 있다는 권고인데 사고의 절약을 요구하는 좋은 원리라면서 심리학에 등장하는 진화생물학적 견해는 면도날 역할을 하고 있다고 저자는 주장합니다. 아리스토텔레스의 거창한 행복론은 가치있는 삶이지 행복한 삶이 아니라면서 행복은 가치나 이상, 도적적 지침이 아니라고 말합니다. 가치있는 삶을 살 것이냐, 행복한 삶을 살 것이냐는 개인의 선택이라면서 행복한 사람이란, 일상에서 **긍정적인 정서**(기쁨 등)를 남보다 자주 경험하는 사람이라고 강조합니다.

저자는 마지막으로 책을 쓰게 된 동기를 행복에 대한 두 가지 생각을 공유하고 싶어서였다면서 **행복은** 거창한 경험이 아니라 **구체적인 경험**이라고 말합니다. 행복에 대한 이해는 곧 인간이라는 동물이 왜 쾌감을 느끼는지를 이해하는 것과 직결된다면서 인간만큼 쾌감을 다양한 곳에서 느끼는 동물이 없다고 말합니다. 가장 본질적인 쾌감은 먹을 때와 섹스

할 때, 더 넓게는 사람과의 관계에서 온다고 주장합니다. 행복은 거창한 것이 아닙니다.

결론적으로 **” 인간은 행복하기 위해 사는 것이 아니라 살기 위해 행복감을 느끼도록 설계된 것** “이다.

출처《https://blog.naver.com/jid54/223165400067》
출처《「행복의 기원」 서은국 21세기 북스 2020년 11월2일》

비오는 날 '부침개' 가 땡기는 이유

첫째, 비오는 날의 우울하고 쳐진 기분을 끌어올려줄 세로토닌
비오는 날에는 해를 볼 수 없습니다. 우리 몸은 일조량에 따라 신체 내 호르몬 분비량이 달라 진다고 합니다. 그래서 비오는 날이면 우울해하는 사람이 많아요. 일조량이 줄어들면 생체리듬을 조절하는 '멜라토닌' 이라는 호르몬이 증가 합니다. 반면, 기분, 식욕, 수면과 관련한 신경전달물질인 '세로토닌' 의 분비량은 줄어듭니다.
그런데 밀가루에는 이 '세로토닌' 이 많이 들어있다고 합니다. 우리가 다이어트를 위해 밀가루 음식을 끊었다가 다시 먹을 때 엄청난 만족감과 기쁨을 느끼곤 합니다. '세로토닌' 은 우울하고 처진 기분을 끌어올리는데 도움이 된다고 합니다. 비오는 날의우울한 기분도 상쇄되는 것입니다. 거기에 막걸리 한잔 딱! 하면 금상첨화입니다.

둘째, 빗소리의 주파수
비오는 날 부침개가 당기는 이유 중 하나는 빗소리의 주파수가 부침개를 부칠 때 지글지글 기름 소리와 흡사하기 때문이라는 설이 있습니다.여러 방송매체 등에서 많이 소개가 되면서 많은 사람들이 알고 있는 내용입니다. 부침개 기름이 튀는 소리와 빗방울이 땅에 떨어지는 소리의 주파수가 일치하기 때문에 빗소리를 들으면 자연스럽게 부침개가 생각난다고 합니다.

셋째, 비오는 날 더욱 고소한 부침개 냄새

비오는 날에는 습도가 높아집니다. 습도가 높아지면 냄새가 더욱 진해집니다. 높은 습도 때문에 분자의 이동속도가 느려져 한 곳에 오래 머물게 되면서 냄새가 짙어지는 것이죠. 옛말에 '꽃향기는 비오기 전 가장 딮다' 는 말이 있는 것처럼, 비오는 날 전집 앞의 부침개 냄새는 더 고소하고 맛있게 느껴지니 그냥 지나치기가 힙들겠지요.

넷째, 켜켜히 쌓여온 역사의 기억

예로부터 우리나라는 농경사회였습니다. 비오는 날이나 장마철에는 일을 하기 힘들었지요. 논사철에 비가 와 일을 못하게 되면 마을 사람들은 삼삼오오 모여서 음식도 해 먹고, 이야기도 나눴습니다. 이때 별다른 재료 없이 바로 해 먹을 수 있는 음식이 부침개였다고 합니다. 밀가루만 있으면 밭에 있는 채고들 아무거나 따다 반죽해 부쳐먹으면 금방이니 말입니다.

1960년대 이후에는 값싼 밀가루가 수입되기 시작하면서 더욱 일반화되었고, 부침개뿐만아니라 밀가루로 만드는 수제비, 칼국수 같은 음식들을 해먹은 것이죠. 그 뒤 산업화가 되면서 다들 도시로 나갔지만, 비가 오면 어릴 적 비오는 날마다 먹었던 어머니가 해주신 '부침개' 생각이 절로 나는 것입니다.

출처《https://ayjsr.tistory.com/entry/》

역래순수(逆來順受)

"천운이 역경으로 오더라도 순리로 받아들인다. 뜻대로 안 되는 상황이 닥쳐도 순순히 받아들인다." 라는 뜻이다.

우리 속담에 '잘되면 자기 덕, 못되면 조상 탓' 이라는 말이 있다.

일이 잘되면 자기가 잘해서 잘되는 줄 알고, 부모, 형제나 주변 사람들에게 고마워 할 줄 모르는 경우가 많다. 그러나 잘 안 될 경우에 자기에게서 문제를 찾아 고치려는 사람이 없지 않지만, 상당수 사람들은 부모를 비롯한 자기 주변의 사람들을 원망한다.

자신을 성찰하고 발전적인 방향으로 나가려고 노력해야지, 원망을 하기 시작하면 끝이 없다. 자기가 태어난 집안, 가난하고 무식한 부모, 출신 지역, 출신 학교 등등, 심지어 출신 학교 선생들까지도 원망한다. 그러나 좋은 가문, 좋은 부모, 명문대학을 나왔다고 다 성공한 사람이 되는 것은 아니다.

우리나라 사람 가운데 세계에서 가장 유명한 사람을 꼽으라면 반기문(潘基文) 유엔 사무총장을 들 수가 있다. 가히 세계의 대통령이라고 할 수 있기 때문이다.

그는 전 세계 사람이 다 알고 관심을 갖는 사람이 되었지만 처신도 바르고 겸손하여 많은 사람들이 좋아하고 배우고자 한다. 그는 명문 집안에서 태어난 것도 아니다. 이미 다 알려진 사실이지만, 그의 조상은 남의 집 노비였다.

조선 중종 때 반석평(1472~1540)이란 분이다. 그는 서울에 살던 이 참판 댁의 종이었다.

반석평이 어렸을 때 자기 또래인, 주인집 아들 이오성이 독선생(獨先生)을 모셔놓고 글 공부를 하고 있었다. 반석평은 너무나 공부가 하고 싶었지만, 자신의 신분으로는 공부를 할 수 없다는 것을 잘 알았다. 그러나 그는 멀리서 글을 가르치는 소리만 듣고도 배우는 내용을 다 알았다.

그리고 그 내용을 혼자 땅바닥에 썼다. 그러다가 주인에게 들켜 꾸중을 듣기도 했다. 그러던 어느 날 이 참판의 다리를 주무르면서 머릿속으로 글 내용을 생각하다가 건성으로 다리를 주무르자 주인이 호통을 쳤다. 그때 반석평은 용기를 내어, 그동안의 사실을 다 이야기했다.

이 참판은 반석평의 노비문서를 불사른 후 신분을 해방시켜 후손이 없는 친척 집에 양자로 들어가게 해 주었다.

반석평은 계속 글공부를 열심히 해서 1507년(중종 2) 과거

시험에 합격하였다. 내외의 여러 벼슬을 거쳐 법무부장관 격인 형조판서(刑曹判書)에 이르렀다.

어느 날 초헌을 타고 입궐하다가 길에서 어떤 거지를 발견했는데 옛날 자기가 노비로 있던 이 참판댁의 아들 이오성이었다.

반석평은 임금에게 자신이 본래 노비였는데 신분을 속였다고 실토하고 처벌해 달라고 상소를 올렸다. 주인이 노비문서를 불사르고 신분을 해방시켜 주었으니 처벌받을 일은 아니었다.

보통 사람 같으면 자신의 과거가 드러날까 봐 두려워 거지가 된 주인집 아들을 보고 아는 체도 하지 않았을 것이다.

그러자 왕은 그를 가상히 여겨 처벌하지 않았고, 주인집 아들 이오성에게도 사옹원(司饔院) 별제(別提)라는 벼슬을 내려주었다.

반석평은 조선 팔도 감사를 전부 다 역임하였고, 나중에는 부총리급인 좌찬성에까지 이르고, 세상을 떠난 뒤에는 장절공(壯節公)이라는 시호까지 받았다.

과거에 합격하여 관직에 나갔지만, 반석평의 신분을 두고 당시 같이 벼슬하던 사람들이 여러 차례 문제로 삼았다.

그러나 그는 끊임없이 공부하고 노력하고 겸손하고 신중하였다.

그리하여 자기 손으로 집안을 일으켰다. 반씨 집안의 중시조라고 할 수 있 수 있는 분이다.

- 좋은글 중에서 -

출처《https://m.blog.naver.com/leekh850/223225171693/》

당나귀와 우물

당나귀가 빈 우물에 빠졌다. 농부는 슬프게 울부짖는 당나귀를 구할 도리가 없었다.

마침 당나귀도 늙었고 쓸모 없는 우물도 파묻으려고 했던 터라 농부는 당나귀를 단념하고 동네 사람들에게 도움을 청하기로 했다. 동네 사람들은 우물을 파묻기 위해 제각기 삽을 가져와서는 흙을 파 우물을 메워갔다.

당나귀는 더욱 더 울부짖었다. 그러나 조금 지나자 웬일인지 당나귀가 잠잠해졌다. 동네 사람들이 궁금해 우물 속을 들여다보니 놀라운 광경이 벌어지고 있었다. 당나귀는 위에서 떨어지는 흙더미를 털고 털어 바닥에 떨어뜨렸다. 그래서 발 밑에 흙이 싸이게 되고, 당나귀는 그 흙더미를 타고 점점 높이 올라오고 있었다.

그렇게 해서 당나귀는 자기를 묻으려는 흙을 이용해 무사히 그 우물에서 빠져 나올 수 있었다.

정말 그렇다. 사람들이 자신을 매장하기 위해 던진 비방과 모함과 굴욕의 흙이 오히려 자신을 살린다. 남이 진흙을 던질 때 그것을 털어버려 자신이 더 성장하고 높아질 수 있는

'영혼의 발판' '으로 만든다.
그래서 어느날 그 곤경의 우물에서 벗어나 자유롭게 살아갈 수 있는 날을 맞게 된다.

뒤집어 생각할 줄 알아야 한다.

모든 삶에는 거꾸로 된 거울 뒤 같은 세상이 있다. 불행이 행이 되고, 행이 불행이 되는 새옹지마(塞翁之馬)의 변화가 있다.
우물속 같이 절망의 극한 속에서 불행을 행운으로 바꾸는 놀라운 역전의 기회가 있다. 우물에 빠진 당나귀처럼 남들이 나를 해칠지라도 두려워 말 일이다.

이 한 편의 우화는 나를 음해하는 진흙이 나를 구해 주는 '기적의 사다리' 가 된다는 것, '영혼이 높아지는 디딤돌 '이 된다는 것을 가르쳐 준다.

- 탈무드의 교훈 중에서 -

출처《https://blog.naver.com/PostView.nhn?blogId=aa113&logNo=222007632625/》

Coca-Cola ! 바로 알고 마셔야

미국(美國)의 고속도로 순찰의 경찰들은 2갤런(약7.6리터) 정도의 CocaCola를 차에 싣고 다닌다죠.

그 CocaCola의 사용 목적은 교통사고가 났을 때 길에 묻은 핏자국을 신속하게 지우기 위해서 입니다. 비프스테이크를 CocaCola로 채워진 대접에 넣어두면 2일이 경과한 뒤 살펴보면 고기덩어리가 다 삭아 진답니다. 변기나 세면대의 때를 없애는 데는 CocaCola가 좋습니다. 변기나 세면대에 묻어 있는 때는 CocaCola에 함유된 시트르산이 말끔히 제거해 줍니다. 자동차의 앞과 뒤에 달린 녹슬은 크롬 범퍼를 깨끗이 하려면 CocaCola에 적신 종이로 닦으면 녹이 깨끗하게 없어집니다. 또한 자동차의 밧데리에 녹이 슬었을 때 밧데리 케이블에 CocaCola를 부으면 거품을 내면서 녹이 없어집니다.

녹이 슬어 빠지지 않는 볼트가 있으면 CocaCola를 발라주십시오. 수 분 후에 암볼트를 돌리면 신기하게도 돌아 빠집니다. 기름에 찌든 옷을 세탁하려면 그 기름이 묻어 있는 곳에 코카콜라를 부은 후 세제를 가하여 세탁을 하면 기분이 좋게 말끔히 기름이 빠져버립니다. 자동차의 앞 유리가 흐려졌으면 코카콜라를 발라 닦으면 깨끗하게 됩니다.

CocaCola의 주요성분은 인산인데 PH 2.5~3.5 입니다. 그

정도의 PH이면 보통 크기의 못을 4일 내에 녹여버린다고 합니다. CocaCola의 농축액을 운반하는 트럭들은 독극물에 적용되는 '유해물질 카드'를 소지해야 합니다.

또한 CocaCola를 배달하는 트럭들은 트럭의 엔진을 깨끗이 씻기 위하여 CocaCola를 20년간이나 사용해 왔다고 합니다.

출처《asgi2.tistory.com 「물과 CocaCola에 관한 흥미있는 기사」 안소니블로그 2008.10.9.》

CocaCola에 관한 충격적인 기사가 아닐 수 없습니다. 이런 유해한 음료를 우리는 거리낌 없이 요즈음은 롯데리아 체인점에서 햄버거와 곁들여 맛있게 냠냠을 하지 않았습니까?

꼬마들이 팹시콜라는 너무 달아서 싫다하고, 국산 8.15 콜라는 전혀 콜라 맛이 안 난다며 먹으려 들지 않는 것이 현실이죠. 맛이 어울린다는 이유로 롯데리아에서 먹었던 햄버거와 CocaCola가 서로 궁합이 맞지 않는 음식이라 먹으면 유해하다는 사실을 아는 사람이 그 얼마나 될는지?

햄버거 자체가 여러 재료가 가미되어 있어 소화가 잘 안되는 식품, 여기에 차가운 콜라를 마시면 위에 그 부담을 주어 유해하고, 또 콜라에 들어있는 무기 인산이 햄버거에 들어있는 칼슘 흡수를 방해할 수도 있다는 것입니다.

과거 외제라면 무조건적으로 선호했었던 우리인지라 입은

피해도 이만저만이 아님을 깨달아야 합니다.

다른 것은 몰라도 먹는 음식물에 있어선 모두 우리 것이 좋다는 것이 입증되고 있는 때입니다.

우리의 것이 좋다는 '신토불이(身土不二)' 적인 사고로 전환해야 할 때가 지금이 아닌가 라고 생각됩니다.

먹고 싶은 것을 다 먹는 것은 그렇게 재미있지 않다 . 인생을 경계선 없이 살면 기쁨이 덜하다. 먹고 싶은 대로 다 먹을 수 있다면 먹고 싶은 것을 먹는데 무슨 재미가 있겠나.

-톰행크스-

내일(來日)이란 사기꾼

어느 날 조그마한 서점(書店)에 간판 대신
'내일은 책을 무료로 드립니다'라는 현수막이 나붙었다.
책을 사기 위해 서점을 들려던 사람들이 그 현수막을 발견하고는 내일 다시 오겠다며 책을 사지 않고 그냥 돌아갔다. 현수막을 보고 돌아갔던 사람들은 다음날 아침 일찍 서점으로 나갔다. 서점은 공짜로 책을 받아 가려는 사람들로 북새통을 이루었고, 한 권이라도 더 가져가기 위해서 서로 경쟁을 벌였다.
욕심껏 책을 가지고 사람들이 즐거운 표정으로 서점을 나오는데, 이상하게도 출입구 쪽의 계산대에서는 전과 같이 돈을 받고 있었다. 그러자 한 사람이 서점 주인에게 따졌다.
"여보시오, 오늘은 책을 무료로 준다고 해 놓고서는 왜 돈을 받는 거지요?"
그때 주인은 조용히 대답해 주었다.
"아, 현수막을 보고서 그러시는 것 같은데, 그 현수막엔 내일(來日) 무료로 드린다고 했지 오늘 무료로 드린다고 한 적은 없습니다. 그러니 오늘은 돈을 내셔야 합니다."
이 말을 들은 손님들을 책을 내려놓고 우르르 몰려나가 현수막을 다시 바라보았다. 현수막엔 여전히 '내일은 책을 무료로 드립니다'라고 씌어져 있었다.
오늘을 사는 것은 내일을 사는 것보다 더 절박하다. 시간이 흐르면 내일은 계속해서 다가오지만 오늘은 이 순간이 지나면 영원히 다시 오지 않기 때문이다.

출처《www.webdure.com>hol「내일은 사기꾼」2018.11.1.》

13~4년전 모 학교의 근무시절 동료들과 함께 즐겨 찾았던 단골 주점이 하나 있었지요. 주인은 40대의 과수댁(과부집의 높임말)이었는데 후박한 인심 탓에 손님은 항상 벅적대었습니다.

그 집 벽 한 모퉁이에 써 붙인 '오늘은 현금, 내일은 외상'이란 표어를 보며 들릴 때마다 그 문구를 토대로 담소하며 잔을 기울이곤 하였지요. 결국은 '외상 사절' 이란 말인데, 현재의 시간개념을 미래의 시간대에 그럴싸하게 포장하여 활용 손님들의 관심을 끌기에 충분하였습니다.

우리가 내일(來日)을 너무 믿고 생활하기 때문에 오늘 행해야 할 삶을 내일(來日)로 미루는 어리석음을 범하는 경향이 많습니다. 엄연히 오늘의 나와 내일 사이에는 일정한 간격이 있음에도 불구하고 말입니다. 또 그 간격은 그 어떤 수단에 의해서도 좁힐 수가 없지 않습니까? 우리는 내일(來日)인 미래(未來) 자체를 얻기 위해서 현재(現在)란 시간(時間)을 미뤄가면서까지 그 내일에 안주하려는 노력을 하지 말아야 합니다.

그 내일(來日)이란 손만 뻗으면 곧 잡힐 듯하지만 가까이 다가서면 저만큼 달아나버리는 무지개와 같은 것이기 때문에 그것을 얻기 위해 노력하는 자는 평생 후회의 늪에 빠져 헤어나려 허덕임만 있을 뿐입니다. 내일(來日)이라는 시간(時間)은 우리를 나태(懶怠)함으로 이끄는 노련한 사기꾼임을 명심(銘心)합시다.

꿈을 이루는 여덟 가지 법칙

1.“나도 할 수 있다“는 생각으로 새롭게 시작하라.
당신에게 무궁무진한 잠재력이 있다는 것을 기억하십시오.
하나님께서 주신 잠재력의 5%만 사용해도 천재가 됩니다.

2. 당신의 목표(目標)를 마음의 소원(所願)과 일치시켜라.
막연한 욕망(欲望)은 소원(所願)이 아닙니다.
소원을 분명하게 확인하고 전력투구 하십시오.

3. 부정적(否定的)인 생각을 버려라.
“나는 안 돼“ “할 수 없어“ “나 같은 게“라는 소리가 들려오거든 “이전의 나는 무능했다. 그러나 이제는 달라져 새 사람이 되었다“ 라고 크게 외쳐 응답하십시오.

4.긍정적(肯定的)인 말을 매일 반복하라.
“나는 성장하고 있다“ “나도 성공할 수 있다“ “해낼 수 있고말고“ 라고 다짐하십시오. 말은 힘과 용기를 더하는 영양소입니다.

5. 대가(代價)를 지불하라.
진정한 성공은 땀과 수고를 통해서만 완성됩니다. 심는 대로 거두는 법입니다.

6. 어려움이 닥쳐도 낙심하거나 포기하지 말라.
일곱번 넘어져도, 여덟번 일어선다는 용기와 신념을 가지십시오.

7. 모든 일에 감사(感謝)하라.
실패는 실패가 아니라 성공의 밑거름이라고 생각하십시오.
현재의 삶 자체도 감사하는 마음의 주인공이 되십시오.

8. 큰 꿈을 가져라.
꿈을 꾸는 데는 수고도 돈도 필요치 않습니다. 큰 그릇에 많은 것이 담기듯 큰 꿈이 큰일을 이룹니다.

출처《블로그 행복나누기「꿈을 이루는 8가지 법칙」 2006.8.19》

살펴보면 누구나 평범하게 행할 수 있는 일들입니다. 그렇다면 우리 모두는 성공의 열매를 거둘 수 있다는 확신을 갖게 합니다. 모든 사람이 각각의 꿈을 지니고 살아가고 있습니다.
그러나 모든 사람이 그 꿈을 현실화시키는 것은 아닙니다. 그 꿈의 실현을 위해서 끊임없이 제시된 법칙을 하나하나 실천하며 사는 삶일 때에 현실화의 가능성은 그 만큼 높아지는 것이죠. 님이시여, 꿈의 실현을 통해 삶의 보람을 갖는 모두가 되시기 바랍니다 .

내 등의 짐

내 등에 짐이 없었다면 나는 世上을 바로 살지 못했을 것입니다. 그 짐 때문에 늘 조심하면서 바르고 성실하게 살아왔습니다. 내 등의 짐은 나를 나답게 한 귀한 선물(膳物) 이었습니다. 그 짐이 없었다면 나는 사랑을 몰랐을 것입니다.
그 짐의 무게로 남의 고통(苦痛)을 알았고 그것으로 인하여 이해(理解)와 용서(容恕)도 알았고, 사랑의 마음도 깨우치게 되었습니다. 또한 그 짐이 없었다면 나는 아직도 미숙(未熟)하게 살고 있을 것입니다. 그 등에 진 짐의 무게가 내 삶의 무게가 되어 그것을 감당하게 하였습니다. 이제 보니 내 등의 짐은 나를 성숙(成熟)시킨 귀한 선물(膳物)이었습니다. 그 짐이 없었다면 나는 겸손(謙遜)과 소박(素朴)함의 기쁨을 몰랐을 것이고, 또한 나를 낮추고 소박하게 사는 삶의 태도를 잃을 뻔하였습니다. 이제 보니 내 등의 짐이 나를 사람답도록 일깨워준 안내자였습니다. 물살이 센 냇물을 건널 때는 등에 짐이 있어야 물에 휩쓸리지 않고, 화물차가 언덕을 오를 때는 짐을 실어야 헛바퀴가 돌지 않듯 내 등의 그 짐이 나를 불의(不義)와 안일(安逸)의 물결에 휩쓸리지 않도록 이끌어 주었습니다. 내 나라의 짐, 직장의 짐, 이웃과의 짐, 친지들과의 짐, 가족의 짐, 가난의 짐, 몸이 아픈 짐, 슬픈 이별의 짐 등등이 내 삶을 감당하는 힘이 되어 오늘도 최선(最善)의 삶을 누리도록 해줍니다.

출처 《 www.joungul.co.kr>impression 「내 등의 짐」 》

군자(君子)와 창녀(娼女)에 관한 이야기에 의하면 일반적으로 군자가 천당에 가리란 예상과는 엉뚱하게도 군자는 지옥에, 창녀는 천당에 간다고 합니다.

그 이유는 군자는 항상 자신의 그 알량한 자존심을 내세우며 고고한 삶의 자세를 잃지 않는 오만(傲慢)과 교만(驕慢)의 삶을 누리기 때문이고, 창녀는 자신의 죄를 늘 뉘우치며 자신을 낮추고 사는 겸손(謙遜)함이 있기 때문에 예상과는 달리 천당으로 간 것이라고 합니다.

내 등의 짐은 고통이나 고난일 수도 있고, 근심과 걱정일 수도 있으며, 병이나 상처일 수도 있고, 죄나 허물일 수도 있으며, 가난이나 어려움일 수도 있습니다. 그것이 무엇이든지 간에 등에 짐이 없는 사람은 남의 어려운 상황(狀況)의 삶을 아랑곳하지 않고 자칫 교만(驕慢)한 삶에 빠지기 쉽습니다.

그러나 등에 짐이 있는 사람은 그 짐에 의한 멍에의 고통으로 자신을 숙이고 낮추는 겸손(謙遜)과 감사(感謝)의 삶을 지향하게 됩니다. 오늘만이라도 '내 등의 짐'을 생각해 보는 하루가 되시기 바랍니다.

사랑이 있는 풍경

사랑이 있는 풍경은 언제나 아름답다.

하지만 아름다운 사랑이라고 해서
언제나 행복하기만 한 것은 아니다.

그 사랑이 눈부실 정도로 아름다운만큼
가슴 시릴 정도로 슬픈 것일 수도 있다.
사랑은 행복과 슬픔이라는
두 가지의 얼굴을 하고 있는 것이다.

그러나 행복과 슬픔이 서로 다른것은 아니다.
때로는 너무나 행복해서 저절로 눈물이 흐를 때도 있고
때로는 슬픔 속에서 행복에 잠기는 순간도 있다.

행복한 사랑과 슬픈 사랑
참으로 대조적인 것처럼 보이지만
그 둘이 하나일 수 있다는 것은
오직 사랑만이 가질 수 있는 기적이다.

행복하지만 슬픈 사랑
혹은 슬프지만 행복한 사랑이
만들어가는 풍경은 너무나 아름답다.

그렇기 때문에 우리는 서로
사랑하면서 잠을 이루지 못하는
불면의 밤을 보내는 것이다.

사랑이란 내가 베푸는 만큼 돌려받는 것이다.
깊은 사랑을 받을 수 있는 방법은
자기가 가진 모든것을 기꺼이 바치는 일이다.

내가 가지고있는 모든 것을 다 내주었지만
그 댓가로 아무것도 되돌려 받지 못한 경우도 있다.

그렇다고 해서 사랑을 원망하거나 후회할 수는 없다.
진정한 사랑은 댓가를 바라지 않는다.

나는 사랑으로 완성되고 사랑은 나로 인해 완성된다.

- 쌩떽쥐베리 -

출처《https://m.blog.naver.com/sydtemple/220901283345》

마음은 자신의 소중한 재산

살다 보면 진정 우리가 미워해야 할 사람이 이 세상에 흔한 것은 아니었습니다. 원수는 맞은편에 있는 것이 아니라 오히려 내 마음속에 있을 때가 많았습니다. 병은 육체의 병이지 마음의 병은 아닙니다. 성한 다리가 절룩거리면 그것은 어디까지나 다리에 생긴 이상이지 마음에 생긴 이상은 아니니까요.

그러나 주변을 살펴보면 육체의 병 때문에 마음까지 고통(苦痛)을 받는 분이 더러 있습니다. 이해가 되고도 남을 일이지만 그렇다고 마음까지 병들면 무척 곤란한 일입니다.

마음은 우리 몸의 뿌리와 같은 것이라서 뿌리마저 병들면 회생(回生)은 어려운 일이 되고 맙니다. 그렇습니다. 마음은 Diamond처럼 순수할수록 더 무게가 나갑니다.

마음은 팔고 사지는 못하지만 줄 수는 있는 것이기에 자신의 가장 소중한 재산입니다.

출처《이정하「돌아가고 싶은 날의 풍경」고려문화2000.4.30.》

사람은 3부류에 속하는 삶의 자세를 가지고 살아간다고 합니다.

첫째는, 과거회상형(過去回想形)의 사람으로 늘 과거의 추억을 더듬으며 살아가는 사람입니다.

둘째는, 현실안주형(現實安住形)으로 삶의 목표가 없이 바람 부는 대로, 물결치는 대로 이리저리 요동하며 살아가는 마치 하루살이와 같은 사람입니다.

셋째는, 과거와 현실을 극복하고 미래에 목표(目標)를 세우고 전진(前進)하는 사람입니다.

첫째, 둘째 부류의 사람들은 삶의 목표가 없기 때문에 매사 의욕이 없이 무미건조한 삶을 누리는 사람이기에 그에게서 내일에 대한 희망이나 발전을 기대하기 어렵습니다.

그러나 세 번째 부류의 사람은 삶의 분명한 목표의식(目標意識)을 갖고 그것을 성취시키기 위해 힘차게 추진해 나가는 사람입니다.

마음은 자신의 가장 소중한 재산입니다.
그 소중한 우리의 마음이 2세들로 하여금 셋째 부류에 속하는 마음의 소유자가 되어 모두가 진취적이고 능동적이며 적극적인 삶의 주인공으로 이끌어줘야 하겠습니다.

세상에 잡초는 없습니다

고려대학교 명예교수인 강병화 교수는 1984년부터 전국의 산과 들을 다니며 야생 들풀을 채집했습니다.

그 결과 100과 1,220 초종에 속하는 4,439종을 수집해 왔으며, 1991년에 야생 초본 식물자원 종자은행을 설립하는 큰일을 해냈습니다.

이 일로 언론에서 취재를 왔는데, 기사의 끝에 실린 강병화 교수의 말이 가슴에 와닿습니다.

"17년간 전국을 돌아다니며 제가 경험한 바에 따르면
이 세상에 '잡초'는 존재하지 않습니다.

밀밭에 벼가 나면 그게 바로 잡초고, 보리밭에 밀이 나면 그 역시 잡초가 되며 산삼이라 해도 엉뚱한데 나면 잡초가 되는 것입니다.

잡초란 단지 뿌리를 내린 곳이 다를 뿐입니다.

들에서 자라는 모든 풀은 다 이름이 있고 생명이 있습니다."

잡초 같은 사람은 누구도 없습니다.
각자 꼭 필요한 곳, 있어야 할 곳이 있습니다.

단지, 뿌리내려야 할 자신의 '자리'를 찾지 못했을 뿐입니다.

지금이라도 자신의 자리를 찾으세요.
자신만의 가진 능력과 재능으로 튼튼한 뿌리를 내려서 아름다운 인생을 살아보세요.

출처《https://m.blog.naver.com/ysk0519/223195359479》

당신의 존재는 우연이 아니다.
특별한 재능을 받았으며, 사랑을 받으며 세상에 나왔다.

- 맥스 루카도 -

생각에 영향을 주는 독서

우리의 마음은 저금통과 같다. 집어넣은 종류대로 나오게 되어 있다. 우리가 읽은 것은 생각에 영향을 주고 생각은 마음으로 내려온다. 우리는 마음에 가득 찬 것을 입으로 말하게 된다.

"선한 사람은 마음의 쌓은 선에서 선을 내고 악한 자는 그 쌓은 악(惡)에서 악을 내나니 이는 마음의 가득한 것을 입으로 말함이니라"(누가복음 6:45) 이것은 마치 치약과 같다. 하얀 색 치약 튜브를 짜면 하얀색 치약이 나오고, 파란색 치약 튜브를 짜면 파란색 치약이 나오게 되어 있다.

무엇을 집어넣느냐에 따라서 집어넣은 것이 나온다. 그러므로 우리 마음에 무엇을 집어넣느냐가 중요하다.

우리 마음에 무엇인가를 집어넣는 것이 바로 독서이다.

생각이 바뀌면 언어(言語)가 바뀌고, 언어가 바뀌면 행동(行動)이 바뀐다. 행동이 바뀌면 인격(人格)이 바뀌고, 인격이 바뀌면 운명(運命)이 바뀌게 되어 있다.

첫 출발점은 생각에 있다. 중요한 것은 생각의 습관이고, 그 생각의 습관이 마음의 습관을 결정하고, 마음의 습관이 우리의 태도를 결정한다. 인생에서 승리와 성공의 비결은 태도에 있다. 인생을 성공적으로 살아가는 사람들의 공통된 특징은 그들의 태도가 탁월했다는 점이다. 태도(態度)를 결정하는 것이 생각이다. 그런데 우리의 생각에 영향을 끼치는 것이 독서(讀書)이다. 좋은 책(冊)을 읽는 것이다. 그러므로 우리 자신의 변화를 돕는 비결은 우리 사고에 영향을 미치는 좋은 책을 읽는 것이다.

출처《「독서와 영적 성숙」저자 강준민 출판 두란노 1999.4.8.》

타계한 현대의 왕 회장인 정주영의 학력은 고작 초등학교 졸업이 전부이다. 그는 독서광은 아니더라도 독서(讀書)를 즐기고 사랑했다고 합니다.

그가 주로 읽은 책은 소설과 위인전이었습니다. 아버지의 소판 돈을 훔쳐 상경, 쌀가게에서 배달꾼으로 일할 때 다른 일꾼들은 장기와 화투를 하며 놀았지만 정 회장은 '상록수' 를 비롯 소설류를, 부기학원을 다니며 야망(野望)을 키울 땐, 나폴레옹, 링컨, 징기스칸 등의 위인전(偉人전)을 끼고 살았었다고 합니다. 말 그대로 주경야독(晝耕夜讀)하며 생활하던 버릇이 평생 독서열의 불씨가 되었다고 합니다.

정 회장이 현대중공업 창업에 필요한 차관을 얻고자 영국 버클레이즈 은행을 찾았을 때, 당시 해외 담당 부총재가 사업계획서를 보고는 "회장님의 전공은 경영학입니까. 공학입니까?" 라고 물어와 초등학교 졸업이라 하면 신뢰성이 떨어질 것을 우려 "어제 내가 그 사업계획서를 들고 옥스퍼드대학에 갔더니, 바로 그 자리에서 경영학 박사학위를 주더군요." 라고 유머로 비껴나가려 했다 합니다. 그러자 그 부총재가 "당신의 사업계획서 작성 능력과 경영 실력은 옥스퍼드대학 경영학박사 학위를 가진 사람보다 훨씬 우수하다." 며 차관 대여를 곧 승인했다고 합니다.

비록 학력은 낮았지만 독서사랑으로 전문지식과 일반교양을 쌓아 외국인으로부터 경영능력을 인정받고 있는 것입니다. 평범 이상의 지도자들의 대다수는 독서를 매우 즐겼다고 합니다. 독서(讀書)의 중요성(重要性)을 깨닫지 않을 수 없습니다.

- 내가 세계를 알게 된 것은 책에 의해서였다.

-사르트르-

- 내가 인생을 안 것은 사람과 접촉한 결과는 아니다. 책과 접촉한 결과이다.

- 아나톨 프랑수아 -

출처《https://bluemountain.tistory.com/entry/》

고집센 사람과 똑똑한 사람

옛날에 고집 센 사람과 나름 똑똑한 사람이 있었다.
둘 사이에 다툼이 일어났는데...
고집센 사람은 4X7=27 이라 주장하였고, 똑똑한 사람은 4X7=28이라 주장했다.
한참을 다투던 두 사람은 답답한 나머지 마을 원님께 찾아가 시비를 가려줄 것을 요청하였다.
 원님이 한심스런 표정으로 둘을 쳐다본 뒤 고집 센 사람에게 말을 하였다.
4x7=27이라 했느냐 사실을
"당연하게 말했는데 글쎄 이놈이 28 이라고 우기지 뭡니까"

그러자 고을 원님은 다음과 같이 선고 하였다. 27이라 답한 놈은 풀어주고 28이라 답한 놈은 곤장을 열대 쳐라

고집 센 사람은 똑똑한 사람을 놀리면서 그 자리를 떠났고 똑똑한 사람은 억울하게 곤장을 맞았다.

곤장을 맞은 똑똑한 사람이 원님께 억울함을 하소연하자 원님의 대답은 4x7=27이라고 말하는 아둔한 놈이랑 싸운 네놈이 더 어리석은 놈이니라. 내 너를 매우 쳐서 지혜를 깨치게 하려 한다

개랑 싸워서 이기면
개보다 더한 놈이 되고
개랑 싸워서 지면
개보다 못한 놈이 되고
개랑 싸워서 비기면
개 같은 놈이 된다.

설득할 수 없는 고집 센 사람과 다툴 필요가 없다.
또 진실이 무조건 최상의 답은 아니다. 진실보다 더 귀한 답은 포용이다.

죽고 사는 문제가 아니라면
진실을 잠시 묻어두고 사랑과 관용으로 포용해 주는 넉넉함이 세상을 풍성하게 할 것이다.

- 세상에 따뜻한 이야기 중에서 -

출처《https://health-home.tistory.com/entry/고집센 사람과 똑똑한 사람》

정수유심 심수무성
(靜水流深 深水無聲)

“고요한 물은 깊이 흐르고 깊은 물은 소리가 나지 않는다.“

또한 물은 만물을 길러주고 키워주지만 자신의 공을 남과 다투려 하지 않는다.
그리고 물은 모든 사람들이 가장 싫어하는 낮은 곳으로만 흘러가 늘 겸손의 철학을 일깨워 주고 있지요

요즘은 자기만 잘났다고 큰 소리를 내는 세상이지만
진실로 속이 꽉 찬 사람은 절대로 자신을 드러내지 않습니다.
짖는 개는 물지 않고 물려고 하는 개는 짖지 않듯이
大人은 허세(虛勢)를 부리지 않고 시비(是非)를 걸어 이기거나 다투며 싸우고자 하지 않습니다.

시끄럽게 떠들고 이기고자 함은 속이 좁은 탓에 빚어지는 허세일 뿐이며 마음이 넓고 속내의 수심이 깊은 사람은 알아도 모르는 척하며 자신의 재주를 과시하거나 돋보이려 하지 않습니다.
진정한 실력자는 모든 것을 실력으로 명확하게 보여주고 눈으로 확실하게 증명을 하여 보여주며 다만 붓을 들어 세상의 옳고 그름을 나즈막한 소리로 설(說)하기만 하지요.

어떤 가정에 부산스런 아이가 있었어요.
어느날 이 아이가 아버님이 아끼시는
조상 대대로 내려온 회중 시계를 가지고 놀다가 그만 잃어버리고 말았습니다.

아이는 열심히 찾았으나 찾을 길이 없자 어머니에게 말을 했습니다. 워낙 집안의 귀중한 보물이라 아버지가 아시면 경을 칠까 두려웠어요. 그래서 아이와 어머니는 온통 집안을 뒤졌으나 찾을 길이 없었고... 아버님께 사실대로 고(告)하였습니다.

이 말을 들은 아버님은 "너무 걱정 말거라. 찾을 수 있을 것이다!" 하며 아이의 등을 두드리며 위로를 해 준 후 침착하게 모두가 하던 일들을 멈추고 집안에 모든 전원까지 다 끈 채 지금부터 조용히 있어 보자고 했습니다.

잠시 침묵이 흐른 후 얼마 되지 않아서 '째깍째깍' 소리가 들리기 시작했습니다.
시계는 주위 환경이 조용해지자 구석진 바닥 한구석에서 자신이 있는 위치를 주인에게 알리고 있었지요.
그러자 아버지께서는 아들에게 이렇게 말을 했습니다.
"얘야! 세상이 시끄러울 때는 잠시 조용히 침묵하고 있어 보거라. 그러면 잃어버렸던 소중한 것들을 찾아 낼 수도 있을 것이다."

그렇습니다!
조용한 침묵 속에는 오히려 참된 가치와 위대함을 품고 있을지도 모릅니다.
고요한 물은 깊이 흐르고 깊은 물은 소리가 나지 않듯이, 고요함 속에서 우리는 참 진리를 찾을 수도 있는 것이지요.

옛말에 침묵이란?
밭을 갈고 씨앗을 뿌린 후에 새싹이 돋아나기를 기다리는
농부의 기다림과 같다고 했습니다.
그래서 침묵이란 긴 인내와 희망을 필요로 하는지도 모릅니다. 최고의 경지에 오른 사람은 자신을 알아주지 않아도 상처 받지 않고 자신을 알리지 못해 안달하지 않습니다.
사람이 태어나서 말을 배우는 데는 2년~3년이란 시간이 걸리지만, 침묵을 배우기 위해서는 60년, 아니 70년이 걸린다고 합니다.

출처《https://sandda.tistory.com/69》

10가지 치매(癡呆) 신호

① 최근 일어났었던 것을 잘 기억(記憶)하지 못한다.

② 요리기구나 세면도구 사용법 등 매일(每日)하던 익숙한 일을 못한다.

③ 평소에 쓰던 간단한 말 대신 알아듣기 어려운 말을 한다.

④ 시간(時間)과 장소(場所)의 개념이 점점 없어진다.

⑤ 돈의 가치(價値)가 헷갈리거나 날씨에 따라 옷을 맞춰 입지 못하는 등 판단(判斷)이 흐려진다.

⑥ 수(數)의 개념(槪念)이 없어지고, 뭘 해야 하는지를 몰라 헤매며 사고력이 떨어진다.

⑦ 물건을 엉뚱한 데에 갖다 놓고 그 장소를 기억하지 못한다.

⑧ 아무 이유없이 화를 내다가도 웃는 등 기분과 행동에 이상한 변화(變化)가 온다.

⑨ 의심이 많아지고 家族에게 지나치게 의지하는 인격(人格)의 변화가 온다.

⑩ 매우 수동적이고, TV앞에 앉아 있는 시간이 많아지며 자발적인 의지가 없어진다.

출처《whatsupkorea.tistory.com》

본인뿐만 아니라 주위 가족이나 친지, 친구, 동료, 기타 등등의 사람들에게서 이런 증세가 포착될 때에는 지체함 없이 의사를 찾아 진료를 받도록 조처해야겠습니다.

가족이나 친척 중, 치매환자가 있는 주위 사람들이 겪고 있는 말 못할 고충을 직·간접적으로 대하면서 그런 病은 가장 고질적인 것임을 깨닫게 합니다.

病은 치료(治療)보다는 그 병이 발생하기 전에 예방(豫防)을 하는 것이 최선책이라고 합니다. 그 차선책은 병 초기의 치료라 하는데 이를 위해선 평소 정기적인 검진을 필요로 한다고 하지요. 健康을 잃고서 건강을 되찾으려 하지 말고, 건강할 때에 지킵시다.

- 의무적으로 하는 운동은 몸에 해가 되지 않는다.
  그러나 강제로 습득한 지식은 마음에 남지 않는다.

  -플라톤-
- 몸은 말로 형언할 수 없는 것을 표현한다.

  -마사 그레이엄-
- 가장 큰 부는 건강이다

  -버질-

출처《https://haedas100.tistory.com/entry/》

딱 ! 한사람

이제까지 살아온 삶을 돌이켜 보면서 특히 요즈음 뉴스에 나오는 사건을 보며 다시 반추해 보아야 할 것이 있습니다.

만약에 그 세월 동안 저와 함께한 '딱 ! 한 사람'의 좋은 사람들이 없었다면 ...
살면서 좋은 사람을 만나고, 그를 알고 지냈다는 것 그것은 정말로 별것으로 더 소중(所重)한 것임을 다시 생각하게 됩니다.
'막가파' 또는 '지존파' 를 알고 계시리라 여깁니다. 인간으로서 인간임을 거부한 그들의 흉측한 행위를 떠올리면 지금도 전율을 금치 못합니다. 그러나 그들이 그렇게 되기 전(前)에 주위(周圍)에 좋은 사람들의 손길이 있었다면 그들이 그 극악(極惡)한 행위의 주인공(主人公)들이 됐겠습니까?

당시 우리는 그들에게 손가락질하며 돌을 던지며 저주했지만, 만약에 우리도 그들과 똑같은 상황(狀況)에 처한 입장이었다면 과연 오늘에 우리가 존재했을까요?
오늘에 내가 누군가에게 필요한 사람이 되고, 누군가가 나에게 꼭 필요한 '딱 한 사람'이 서로 되면 세상은 좋은 일로 가득하겠지요?
지금 우리가 이렇게 건재함은 곁에서 어제도, 오늘도, 내일도 함께 하고 있는 좋은 생각의 좋은 사람들 때문이니 이보다 더한 축복(祝福)이 또 어디에 있습니까?
늘 감사(感謝)가 넘쳐나는 입술(말)이 되시기 바라옵니다.

〈첨부〉
 우리 은하마을 아파트 경비 아저씨에게 세상이 왜 점점 이렇게 범죄가 극악해질까요? 하고 물으니,
 아저씨께서는 범죄자 모두가 못사는 사람들이 대부분예요. 점점 더 빈익빈, 부익부가 심해져 가잖아요. 그래서 그런 것 같아요. 그리고 어려서 부모의 교육이 너무 중요한 것 같아요. 그것이 안되어서 그런 것 같아요. (아~ 찡하다)

▪아무도 신뢰하지 않는 자는 누구의 신뢰도 받지 못한다.
-제롬 블래트너-

▪믿음은 선의의 거짓이 아닌 사실에 근거해야 한다.
사실에 근거하지 않는 믿음은 저주받아 마땅한 헛된 희망이다.
-토마스 A. 에디슨-

출처《https://h-bom.com/entry》

화를 다스리는 음식

많은 사람이 화(火)와 분노가 같다고 생각한다. 하지만 일시적인 감정이 분노라면 화는 장기적이며 의식적으로 억제해 누적된 감정이다. 즉, 분노가 쌓여 화가 되는 것이다.

따라서 화를 다스리기 위해서는 운동과 생활습관, 식이요법으로 스트레스에 대응할 수 있는 저항력을 키우는 것이 중요한데, 그 중에서도 식이요법이 가장 쉽고 간단한 방법이라 할 수 있다.

○ 청국장
천연 협압강하제라고도 불리는 청국장은 화로 인한 가슴 답답함과 통증을 완하시키는 데 효과적이다.

○ 대추
대추과 대추씨인 산조인은 체내 진정 작용을 도와 불면증이나 불안증, 우울증, 노이로제, 히스테리 해소와 함께 긴장으로 지친 심시에 활력을 불어넣는다.

○ 우엉
우엉에는 이눌린이라는 성분이 다량 함유되어 혈당 상승을 완화시켜주고 가슴이 답답할 때 도울을 준다.

○ 감자

감자에 풍부한GABA는 아미노산 신경전달 물질로 혈압 상승 억제 효과가 있으며, 감자에는 또한 비타민 C와 비타민 B1이 다량 함유돼 불안하고 초조한 심신 안정에 도움을 준다.

○ 호두

사람의 뇌과 비슷하게 생겨 머리가 좋아진다고 알려진 호두. 호두는 단순히 뇌를 맑게 하는것뿐만 아니라 리놀산과 리놀레인산 등 필수 지방산이 신경전달물질 생성에 도움을 주며 스테레스, 초조, 불안, 가슴 떨림 등에 효과적으로 화난 사람은 물론 스트레스가 많은 수험생들에게도 좋다.

○ 딸기& 레몬

심신이 스트레스를 받으면 혈압이 올라가고 맥박이 빨라지며 혈당이 상승한다. 이때 비타민 C가 고갈되는 현상이 나타나는데, 하루에 비타민 C 1~2g 만 복용해도 충분히 스트레서 호르몬을 정상적인 상태로 회복되므로 하루에 한 번 비타민 C가 풍부한 과일을 믹서에 갈아 마시거나 샐러드로 섭취하면 도움이 된다.

○ 연근

연근을 믹서에 갈아 매 식전에 한 잔씩 마시면 노이로제, 불면증 등 뇌신경의 피로를 회복시키는 데 효과적이다.

○ 물

화를 다스리는 데 물만큼 좋은 것이 없다. 물론 우리 몸의 70%이상인 물로 인해 생성되는 아세틸콜린을 빠르게 체외로 배설시키며 75%가 물인 뇌신경을 진정시킨다. 또한 92%가 물로 구성된 혈관의 긴장을 이완시키는 데도 도움을 준다. 이제 피부는 물론 순간순간 치솟는 화를 다스리기 위해 하루 8~10컵의 물을 마시도록 하자.

- 건강해야 행복하다 중에서 -

출처《https://kylee06.tistory.com/entry/》

아직도 당신이에요

슈퍼맨을 기억하는가?
1980년대 어린이들의 영웅 '슈퍼맨' 역을 맡았던 크리스토퍼 리브!

그런데 어느 날, 그는 낙마 사고로 경추가 상하여 전신마비 장애인이 되었다.

너무나 고통스러운 나머지 그는 다음과 같이 생각했다. 차라리 죽는 것이 나을 것이다.

이 험한 꼴로 어떻게 처자식을 만나보겠는가? 이럴 줄 알았으면 유언장에 어떤 경우에도 나에게는 산소 호흡기를 사용하지 말아달라고 써둘 것을….

병실에 들어선 어머니에게 리브는 '이렇게 생명을 유지하느니 차라리 산소 호흡기를 빼고 죽는 것이 낫겠다.'는 의사표시를 했다.

다음으로 그의 아내 데이나가 입원실에 도착했다. 리브는 아내에게도 자신의 뜻을 전하자. 그녀는 뜻밖의 말을 해 주었다.

“아직도 당신이에요.”
그녀는 전신이 마비되어 숨조차 못 쉬는 남편의 뺨을 두 손으로 만지면서 이렇게 말하였다.

“두뇌가 살아있는 한 당신은 아직도 그대로 당신이니 제발 살아만 주세요.”

데이나의 이 한마디는 슈퍼맨을 다시 살렸다.
이후 그는 사람들에게 희망과 용기를 주는 상징이 되었다.

그는 죽기 전까지 매년 유엔본부의 '루스벨트 국제장애인 시상식' 에서 단골손님으로 연설을 했다.

쟁쟁한 여러 연사들 가운데 단연 가장 큰 감동을 자아내는 연설을 할 수 있었던 것은 불가능을 극복하고 미래를 창조하는 비전을 제시해 주었기 때문이다.

무엇이 위대한 인간 크리스토퍼 리브를 만들었는가, 그것은 아내의 말대로
“나는 여전히 살 가치가 있구나.” 라는 생각이었다.
이렇듯이 긍정적인 생각은 어떤 상황에서도 희망을 갖게 한다. 행복과 성공은 ‘생각의 길’ 에 따라 정해져 있다.

부정적이고 소극적인 사고를 버리고 긍정적이고 적극적인

사고를 갖는다면 인생의 승리자가 된다.

미래는 ‘나도 할 수 있다.’ 는 신념으로 도전하는 자의 몫이다.

1. 변화를 원한다면 긍정적, 적극적 사고로 ‘생각의 길’ 을 다시 내자.

2. 아직 존재하지 않는 미래 때문에 두려워하지 말자. 걱정과 근심은 진취적 사고를 막는다.

3. 끊임없이 도전하자. 다른 사람이 할 수 있다면 나도 할 수 있다.

- 목양연가(牧羊戀歌)에서 -

출처《https://lake123172.tistory.com/941》

무명의 교사 예찬사

(Tribute To the Unknown Teacher)

헨리 반 다이크(1852~1933)

나는 무명교사를 예찬하는 노래를 부르노라.
위대한 장군은 전투에 승리를 거두나
전쟁에 이기는 자는 무명의 병사이다.
유명한 교육자는 새로운 교육학의 체계를 세우나
젊은이를 건져서 이끄는 자는
무명의 교사로다.
그는 청빈 속에 살고 고난 속에 안주하도다.
그를 위하여 부는 나팔 없고 그를 태우고자
기다리는 황금마차 없으며
금빛 찬란한 훈장이 그의 가슴을 장식하지 않는 도다.
묵묵히 어둠의 전설을 지키는
그 무지와 우매의 참호를 향하여
돌진하는 어머니,
날마다 날마다 쉴 줄도 모르고
청년의 적인 악의 세력을 정복하고자
잠자고 있는 영혼을 불러 일으키도다.
게으른 자에게 생기를 불어넣어 주고,
하고자 하는 자를 고무하며,

방황하는 자를 확고하게 하여주도다.
그는 스스로의 학문하는 즐거움을
젊은이에게 전해주며
최고의 정신적 보물을
젊은이들과 더불어 나누도다.
그가 켜는 수많은 촛불
그 빛은 후일에 그에게 되돌아와
그를 기쁘게 하노니
이것이야말로 그가 받는 보상이로다.
지식은 서책에서 배울 수 있으되,
지식을 사랑하는 마음은 오직 !
따뜻한 인간적 접촉으로서만 얻을 수 있을 것이로다.
공화국을 두루 살피되
무명의 교사보다
예찬을 받아 마땅할 사람이 어디 있으랴?
민주사회의 귀족적 반열에 오를 자
그 밖에 누구일 것이고.
자신의 임금이요, 인류의 머슴인 저 !

출처《https://m.blog.naver.com/e9973015/221928802429》

하루

매일 아침
기대와 설레임을 안고
하루를 시작하게 하여 주옵소서
항상 미소를 잃지 않고 나로 인하여
남들이 얼굴 찡그리지 않게 하여 주옵소서

하루에 한 번쯤은
하늘을 쳐다보고 드넓은 바다를
상상할 수 있는 마음의 여유를 주시고
일주일에 몇 시간은 한 권의 책과
친구와 가족과 더불어 보낼 수 있는
오붓한 시간을 갖게 하여 주옵소서

작은 일에
감동할 수 있는 순수함과
큰 일에도 두려워 하지 않고 담대할 수 있는
대범함을 지니게 하시고 적극적이고
치밀하면서도 다정 다감한 사람이 되게
하여 주옵소서

솔직히 시인할 수 있는 용기와 남의 허물을

따뜻이 감싸줄 수 있는 포용력과
고난을 끈기있게 참을 수 있는 인내를
더욱 길러 주옵소서 나의 반성을 위한
노력을 게을리 하지 않게 하시고

매사에 충실하여 무사안일에 빠지지 않게
해 주시고 매일 보람과 즐거움으로 충만한
하루를 마감할 수 있게 하여 주옵소서...

- 좋은글 중에서 -

출처《https://www.bing.com/images/》

출처《https://blog.naver.com/PostView.naver?blogId=kdhi3761&logNo=223073057024/》

무소유의 소유

"크게 버리는 사람만이 크게 얻을 수 있다"는 말이 있다. 물건으로 인해 마음을 상하고 있는 사람들에게는 한번 쯤 생각해 볼 말씀이다. 아무것도 갖지 않을 때 비로소 온 세상을 갖게 된다는 것은 무소유의 역리(逆理)이니까.

오해(誤解)란 이해(理解) 이전의 상태 아닌가. 문제는 내가 지금 어떻게 살고 있느냐에 달린 것이다. 실상은 말 밖에 있는 것이고 진리는 누가 뭐라 하건 흔들리지 않는다.

아름다운 장미꽃에 하필이면 가시가 돋쳤을까 생각하면 속이 상한다. 하지만 아무짝에도 쓸모없는 가시에서 저토록 아름다운 장미꽃이 피어났다고 생각하면, 오히려 감사하고 싶어진다.

"나는 가난한 탁발승이오. 내가 가진 거라고는 물레와 교도소에서 쓰던 밥그릇과 염소젖 한 깡통, 허름한 요포 여섯 장, 수건 두어 장, 그리고 대단치도 않은 평판 이것뿐이오"

K.크리팔라니가 엮은 '간디어록'을 읽다가 이 구절을 보고 나는 몹시 부끄러웠다. 내가 가진 것이 너무 많다고 생각되었기 때문이다.

출처《「無所有」 법정 범우사 1999년3월25일》

어느 보석상에 양손에 팔찌와 반지를 차고, 낀 (반지는 손가락마다 낌) 부인이 들어서 제법 값나가는 반지만을 이것 저것을 집어들고 손가락에 꼈다 뺏다 하면서 고르고 있었다.
그 부인은 많은 소유가 곧 행복이라고 생각하고 있다는 듯이 보였다.

소유(所有)에서 행복을 얻으려는 사람은 끊임없이 소유의 갈증으로 몸부림치게 됩니다. 그런 끝없는 소유의 욕구를 지닌 여인이 우리가 사는 동시대 및 동지역에 그녀 한 명만으로 족하지 않겠어요?

미국의 여배우 Marilyn Monroe (1926.6.1.~1962.8.5.)를 기억하시죠? 그녀가 생전에 이런 말을 했다고 합니다.

"나는 한 여성이 가질 수 있는 모든 것을 가졌습니다. 나는 젊고 아름답습니다. 나는 돈도 많고 사랑에 굶주리지도 않았습니다. 수백 통의 펜레터도 매일 받습니다. 누구보다도 건강하고 부족한 것이 없습니다. 미래에도 그렇게 살 수 있을 것이라고 확신합니다.
그런데 웬일일까요? "나는 너무나도 공허하고 불행합니다. 뚜렷한 이유를 찾을 수는 없지만 나는 불행하다고 느끼고 있습니다" 라고. 그랬었던 그녀가, "나의 인생은 파장하여 문 닫는 해수욕장과 같다" 란 글을 남기고 왜 자살(8월5일새

벽3시50분)로 生을 마감했을까요?

그녀를 통해 소유(所有)가 幸福의 종착역이 아님을 반증하게 됩니다.

“돈과 물질적인 소유물에 둘러쌓여 있어도 우리의 精神과 영혼(靈魂)은 여전히 배고픔에 시달린다.

금・은이라는 재물(財物)이 우리의 잠재력(潛在力)을 개발되지 못하게 잠재울 수도 있다“라고 한 어느 종교인의 말을 깊이 되새겨 보게 하는 큰스님의 말이 아닌가 생각합니다.

삶

삶이란

어떤 의지로
이 세상에 와서

갖은 여러 가지 모습으로
옷을 갈아입고

모든 존재함과
시절인연을 맺으니

시간과 공간의 흐름 속에
희로애락을 분별하여

온몸으로 맞이함이다.

우재 윤필수

참고문헌

《문화일보/오피니언/살며생각하며「깨어진항아리의가치」2003. 7.19.》

《「내게는 아직 한쪽 다리가 있다」저자 송방기,주대관 번역 김태연,송현아 출판 파랑새어린이 2001. 5. 10》

《「마음을 열어주는 따뜻한 편지」 저자 최복현 그림 미상 출판 바움 2003.4.20 》

《「나이보다 젊어지는 행복한 뇌」 저자 서유헌 출판 비타북스 2014.10.1. 》

《「고도원의 아침편지」독자가 쓰는 아침편지 "여우의 짧은생각" 2003.3.8.토요일》

《「향기로 말을 거는꽃처럼」이해인 샘터(샘터사) 2002년4월30일》

《「더 소중한 사람에게」박성철 지원북클럽 2001년7월20일》

《안도현「아침엽서」 늘푸른 소나무 2002.12.10 》

《「그러니까 당신도 살아」저자 오히라미쓰요 출판북하우스 역자 김인경 2010.9.20. 》

《조병화 산문집「아름다운 꿈은 생명의 약」》

《「불교 경전과 마음공부」무한 법상 2017.3.6》

《「행복의 기원」 서은국 21세기 북스 2020년 11월2일》

《이정하「돌아가고 싶은 날의 풍경」고려문화2000.4.30.》

《「독서와 영적 성숙」저자 강준민 출판 두란노 1999.4.8.》

《「無所有」법정 범우사 1999년3월25일》

참고사이트

《https://council.busan.go.kr/council/freeboard/52658》

《https://m.blog.naver.com/lijueun/223027063457》

《https://www.bing.com/》

《https://m.blog.naver.com/mrchoi1830/221055183913》

《https://m.segye.com/view/20161227002259》

《https://blog.naver.com/PostView.naver?blogId=nanasung6&logNo=222909707150/》

《https://www.bbc.com/korean/news-46436140》

《fineword.tistory.com 「마음의 좋은글」》

《www.brcity.kr > news 「이 세상에서 가장 소중한 것」 2009.5.18.》

《https://m.blog.naver.com/bwkw0712/223110477793/》

《https://www.yna.co.kr/view/AKR20240125176700007/》

《https://hhjung7647.tistory.com/2400》

《https://joowoo2000.tistory.com/13759741》

《https://blog.naver.com/green4092/223226728242》

《www.joungul.co.kr>impression 「가슴에 남는 느낌하나」》

《https://happymessage.tistory.com/772》

《https://greenbsky.tistory.com/101》

《https://leeys1385.tistory.com/2434》

《https://blog.naver.com/》

《https://www.bing.com/images》

《https://ko.wikipedia.org/wiki/%ED%94%84%EB%9D%BC%EC%9D%B4%EB%93%9C_%EC%B9%98%ED%82%A8》

《https://m.blog.naver.com/hlqaa/223150891505/》
《https://m.blog.naver.com/kidrace/223288914137》
《aligalsa.tstory.com 2011.7.28. 조지훈의 「주도(酒道)의18단계」》
《blog.naver.com>chan5906》
《web.humoruniv.com>board》
《www.e-lifenews.com》
《https://blog.naver.com/jid54/223165400067》
《https://ayjsr.tistory.com/entry/》
《https://m.blog.naver.com/leekh850/223225171693/》
《https://blog.naver.com/PostView.nhn?blogId=aa113&logNo=222007632625/》
《asgi2.tistory.com 「물과 CocaCola에 관한 흥미있는 기사」안소니블로그 2008.10.9.》
《www.webdure.com>hol「내일은 사기꾼」2018.11.1.》
《블로그 행복나누기「꿈을 이루는 8가지 법칙」 2006.8.19》
《https://www.facebook.com/happy0833/posts/3034634213463359/》
《https://blog.naver.com/PostView.nhn?blogId=seven876-0111&logNo=222978868709》
《 www.joungul.co.kr>impression 「내 등의 짐」》
《https://m.blog.naver.com/sydtemple/220901283345》
《https://blog.naver.com/PostView.naver?blogId=ryu7594&logNo=222895156969》
《https://m.blog.naver.com/ysk0519/223195359479》
《https://wwater.net/835/》

《https://www.onday.or.kr/wp/?p=31615》

《https://health-home.tistory.com/entry》

《https://sandda.tistory.com/69》

《whatsupkorea.tistory.com》

《https://h-bom.com/entry》

《https://kylee06.tistory.com/entry/》

《https://m.blog.naver.com/dlsehd440/221530319620/》

《https://lake123172.tistory.com/941》

《https://maumgongbu.tistory.com/entry/》

《https://m.blog.naver.com/e9973015/221928802429》

《https://www.newscj.com/news/articleView.html?idxno=3056648》

《https://blog.naver.com/PostView.naver?blogId=kdhi3761&logNo=223073057024/》